l'aventure
sur les mers

Pavillon pirate

Bateau de roseau d'Amérique du Sud

Barge hollandaise de rivière, XIXe siècle

Roue de gouvernail

Barque de pêche
portugaise, dite demi-lune

L'adieu du marin. Faïence de
Delft, Pays-Bas, XVIIIe siècle

Gilet de sauvetage

l'aventure sur les mers

par

Eric Kentley

en association avec le National Maritime Museum, Londres

Photographies originales de James Stevenson
et Tina Chambers du National Maritime Museum

Cloche de navire

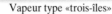

Vapeur type «trois-îles»

Jonque chinoise de
Fou-Tchéou,
Chine

Plat commémoratif représentant
un lancement de navire

Bateau en bouteille

GALLIMARD

Hélice de bateau fluvial

Rose de compas russe,
XIXᵉ siècle

Figure de proue de navire
français

Comité éditorial

Londres :

Martin Atcherley, Louise Barratt, Julia Harris,
Helen Parker, Deborah Pownall et Scott Steedman

Paris :

Christine Baker, Manne Héron
et Jacques Marziou

Edition française préparée par
Jean Randier, de l'Académie de marine, Paris

Publié sous la direction de

Peter Kindersley,
Jean-Olivier Héron
et
Pierre Marchand

Enseigne d'hydrographe.
«L'officier à l'octant»

Vapeur de
rivière à aubes
latérales

Dériveur d'école
de voile

SOMMAIRE

Quatre-mâts carré *Wendur*, 1884

AMPHIBIE ASSYRIEN
Chevauchant une peau
de bête gonflée en flotteur,
cet Assyrien de l'Antiquité flotte
véritablement sur l'air. Il y a plus de
vingt-cinq siècles, les Assyriens utilisaient
des radeaux de bois ou des assemblages
d'outres de peau gonflées pour la pêche,
le passage des rivières et le transport.

L'HOMME PREND LA MER

Explorer, voyager, commercer, pêcher, combattre, voguer pour
le plaisir… autant de raisons de prendre la mer. Au cours des siècles,
il est devenu plus facile et moins dangereux de naviguer, et la durée
des grands voyages s'est réduite. Du simple radeau, on en vint au bateau.
D'abord un tronc creusé, dont l'invention semble aussi
importante que celle de la roue, puis un navire bordé
de planches assemblées, dont le principe de construction
préludait à celui des grands bâtiments d'aujourd'hui. La mise au point
de nouveaux matériaux, bois lamellé collé, résine polyester, fibre de
carbone, devait conduire à une immense diversification des
types de navires contemporains. Voyons-en
quelques exemples essentiels.

**TRONCS D'ARBRE
À LA MER**
Un simple tronc aperçu flottant
sur l'eau fit sans doute naître
la première idée d'un véhicule
aquatique. Ce jeune garçon juché
sur son tronçon d'arbre se propulse
à la perche sur l'eau d'un lac ou d'une
rivière. L'équilibre est instable; aussi,
deux troncs assemblés procureront la stabilité
appréciée d'un radeau, et, une fois creusé,
en recevant marchandises et passagers, un
des troncs améliorera encore l'équilibre
grâce à l'abaissement des poids.

CANOT? BATEAU? NAVIRE?
L'usage seul permet de bien définir les noms
des bateaux. Canot, chaloupe, barque,
désignent de petites unités. Un bateau, lui, est
aussi bien petit que grand, mais un navire, un
vaisseau, un bâtiment sont déjà des unités
importantes. Quant à frégate, corvette, aviso,
croiseur…, ces noms valent une définition
nautique précise : type et mission. Le
Krusenstern est un quatre-mâts barque russe.

ANNEXES
La plaisance appelle annexe un canot pour le service du bord.
Les Anglo-Saxons lui donnent le nom de «tender», car, de même
qu'en remorque d'une locomotive, le tender sert le yacht. Les annexes
des cargos, paquebots, navires de guerre sont des chaloupes, des baleinières,
des canots à moteur…

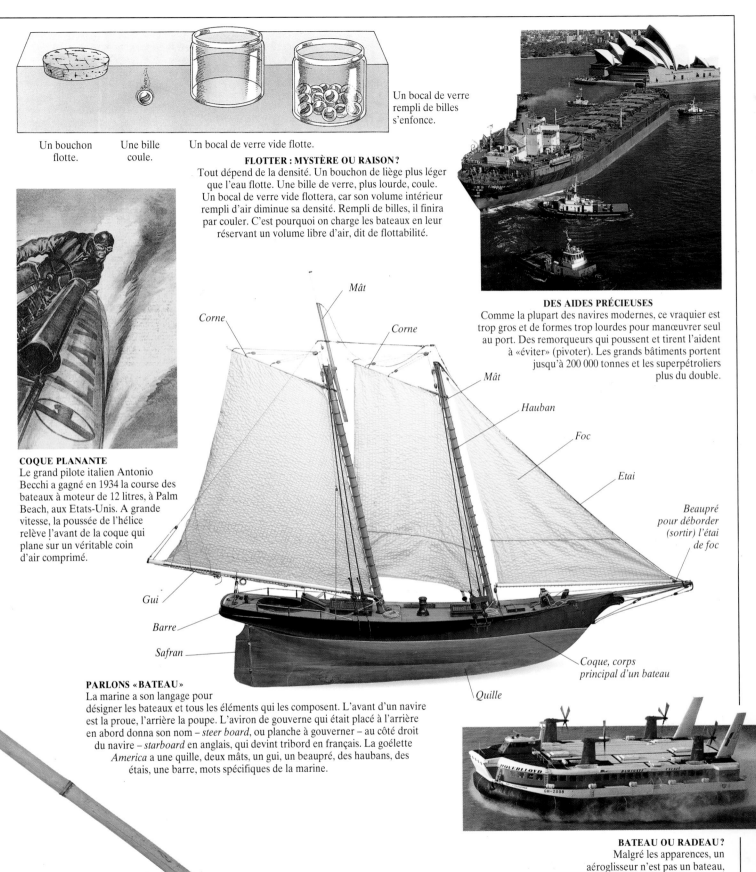

Un bouchon flotte.

Une bille coule.

Un bocal de verre vide flotte.

Un bocal de verre rempli de billes s'enfonce.

FLOTTER : MYSTÈRE OU RAISON ?

Tout dépend de la densité. Un bouchon de liège plus léger que l'eau flotte. Une bille de verre, plus lourde, coule. Un bocal de verre vide flottera, car son volume intérieur rempli d'air diminue sa densité. Rempli de billes, il finira par couler. C'est pourquoi on charge les bateaux en leur réservant un volume libre d'air, dit de flottabilité.

DES AIDES PRÉCIEUSES

Comme la plupart des navires modernes, ce vraquier est trop gros et de formes trop lourdes pour manœuvrer seul au port. Des remorqueurs qui poussent et tirent l'aident à «éviter» (pivoter). Les grands bâtiments portent jusqu'à 200 000 tonnes et les superpétroliers plus du double.

COQUE PLANANTE

Le grand pilote italien Antonio Becchi a gagné en 1934 la course des bateaux à moteur de 12 litres, à Palm Beach, aux Etats-Unis. A grande vitesse, la poussée de l'hélice relève l'avant de la coque qui plane sur un véritable coin d'air comprimé.

Mât

Corne

Corne

Mât

Hauban

Foc

Etai

Beaupré pour déborder (sortir) l'étai de foc

Gui

Barre

Safran

Coque, corps principal d'un bateau

Quille

PARLONS «BATEAU»

La marine a son langage pour désigner les bateaux et tous les éléments qui les composent. L'avant d'un navire est la proue, l'arrière la poupe. L'aviron de gouverne qui était placé à l'arrière en abord donna son nom – *steer board*, ou planche à gouverner – au côté droit du navire – *starboard* en anglais, qui devint tribord en français. La goélette *America* a une quille, deux mâts, un gui, un beaupré, des haubans, des étais, une barre, mots spécifiques de la marine.

BATEAU OU RADEAU ?

Malgré les apparences, un aéroglisseur n'est pas un bateau, car il n'est pas en contact avec l'eau quand il est en route : il est assis sur un coussin d'air de 20 cm et ses hélices ne brassent pas l'eau mais l'air.

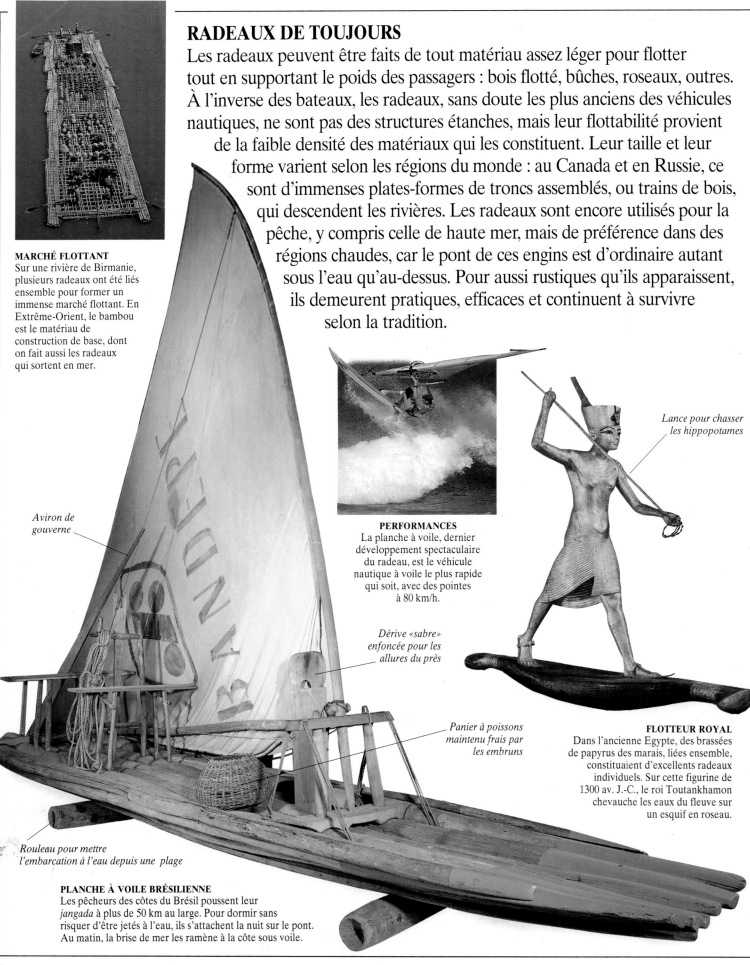

RADEAUX DE TOUJOURS

Les radeaux peuvent être faits de tout matériau assez léger pour flotter tout en supportant le poids des passagers : bois flotté, bûches, roseaux, outres. À l'inverse des bateaux, les radeaux, sans doute les plus anciens des véhicules nautiques, ne sont pas des structures étanches, mais leur flottabilité provient de la faible densité des matériaux qui les constituent. Leur taille et leur forme varient selon les régions du monde : au Canada et en Russie, ce sont d'immenses plates-formes de troncs assemblés, ou trains de bois, qui descendent les rivières. Les radeaux sont encore utilisés pour la pêche, y compris celle de haute mer, mais de préférence dans des régions chaudes, car le pont de ces engins est d'ordinaire autant sous l'eau qu'au-dessus. Pour aussi rustiques qu'ils apparaissent, ils demeurent pratiques, efficaces et continuent à survivre selon la tradition.

MARCHÉ FLOTTANT
Sur une rivière de Birmanie, plusieurs radeaux ont été liés ensemble pour former un immense marché flottant. En Extrême-Orient, le bambou est le matériau de construction de base, dont on fait aussi les radeaux qui sortent en mer.

Aviron de gouverne

PERFORMANCES
La planche à voile, dernier développement spectaculaire du radeau, est le véhicule nautique à voile le plus rapide qui soit, avec des pointes à 80 km/h.

Lance pour chasser les hippopotames

Dérive «sabre» enfoncée pour les allures du près

Panier à poissons maintenu frais par les embruns

FLOTTEUR ROYAL
Dans l'ancienne Egypte, des brassées de papyrus des marais, liées ensemble, constituaient d'excellents radeaux individuels. Sur cette figurine de 1300 av. J.-C., le roi Toutankhamon chevauche les eaux du fleuve sur un esquif en roseau.

Rouleau pour mettre l'embarcation à l'eau depuis une plage

PLANCHE À VOILE BRÉSILIENNE
Les pêcheurs des côtes du Brésil poussent leur *jangada* à plus de 50 km au large. Pour dormir sans risquer d'être jetés à l'eau, ils s'attachent la nuit sur le pont. Au matin, la brise de mer les ramène à la côte sous voile.

RADEAU POUR SURVIVRE
Le Radeau de la Méduse, du peintre Géricault, a pour sujet le dramatique naufrage, en 1816, de la frégate *Méduse* sur le banc africain d'Arguin. Pour abandonner le navire, un grand radeau fut construit avec les moyens du bord pour 150 hommes. La disette et la violence accomplissant leur œuvre, il ne resta plus que 15 naufragés exsangues.

BATEAU, PAS BATEAU
Bien qu'il en ait la forme, cet esquif de pêche d'Angola n'est pas un bateau étanche. Les bois légers de la coque sont liés entre eux et chevillés. L'avant pointu et les bords relevés ne servent qu'à protéger du ressac déferlant sur l'équipement de pêche au moment de la mise à l'eau.

Voile au tiers faite de roseaux

Mât bipode

BIEN AU SEC
Haut sur l'eau, formé de deux gros boudins, ce radeau de roseau tient bien à l'abri des eaux glacées ce pêcheur du lac Titicaca.

RADEAU PÉRUVIEN
Le lac Titicaca est à 3 500 m d'altitude dans les Andes. Comme aucun arbre ne pousse à de telles hauteurs, les Indiens construisent des radeaux avec les roseaux du lac. Leur forme élégante n'a guère changé depuis que les conquistadores espagnols les découvrirent au XVIe siècle.

DANS L'EAU BOUILLONNANTE
Tout comme les radeaux de peau ou de vessies gonflées (p. 6), ceux qui servent aux descentes sportives des rapides et des torrents flottent grâce à des compartiments étanches, les boudins, remplis d'air. Mais étanches aussi à l'intérieur, les «gonflables» sont en fait plus des bateaux que des radeaux.

KON TIKI, CAP À L'OUEST
En 1947, le Norvégien Thor Heyerdahl parcourut 6 500 km dans l'océan Pacifique, d'est en ouest, pour tenter de démontrer que les indigènes sud-américains avaient pu être les premiers colons des îles Polynésiennes.

UNE PEAU DE BÊTE POUR COQUE

Recouvrant une armature légère en bois, une peau de bête transforme le bâti en bateau. Toutes sortes d'animaux prêtent leur peau à ces embarcations insolites. Aux Indes, les peaux de buffle bordent des bateaux ronds, appelés paracels. Au Tibet, les canots sont recouverts de peaux de yak. Les Indiens de la prairie, en Amérique du Nord, paraient jadis leurs élégants canots de peaux de bison. Dans le Grand Nord, de récentes mesures de protection des phoques ont conduit les Esquimaux à équiper leurs fins kayaks de toiles enduites. La tradition de ces types de bateaux recouverts de peaux de bêtes s'est perpétuée au cours des siècles. Fabriqués dans les régions où le bois est rare, ils sont maniables, transportables et fiables, même par gros temps.

MATIÈRE PREMIÈRE
Dans les îles Britanniques, la peau de vache fut autrefois abondamment utilisée pour bâtir les coracles (à droite). Aujourd'hui, la flanelle goudronnée a remplacé le cuir.

PORTÉ PAR LE FLOT
Dans le coracle du Pays de Galles et d'Angleterre, il n'y a place que pour un homme. Comme le courant de la rivière emporte l'embarcation, le retour du pêcheur se fait à pied par la berge, avec le canot sur le dos.

RETOUR DE MER
Le curragh se porte retourné comme un toit, à bras d'homme, par son équipage, de l'estran (bord de l'eau) à l'abri sur la falaise.

UN BATEAU DE MER IRLANDAIS
Le curragh est né sur la côte ouest d'Irlande, où les arbres sont rares et où la tempête exige des embarcations résistantes. Pour ces raisons, il est construit à partir d'une armature légère en bois qui s'élève bien à la lame, avec souplesse. Le bordage, autrefois en cuir, est aujourd'hui réalisé en toile huilée peinte.

Un barrot renforce la structure.

Mât

Banc de nage

Clouée sur l'aviron, une plaque de bois avec un trou se capelle (s'enfile) sur un tolet pour ramer.

Aviron de gouverne

Aviron en frêne

TRÉSOR ENFOUI
Ce modèle en or date du 1er siècle av. J.-C. Trouvé enterré en Irlande, ce pourrait être la représentation d'un curragh primitif.

Lisse de pavois

Armature en saule

LE BATEAU BUFFLE
Un entrelacs de lattes de bambou souples et résistantes constitue l'armature du paracel d'Inde du Sud. Des peaux de buffle cousues le recouvrent.

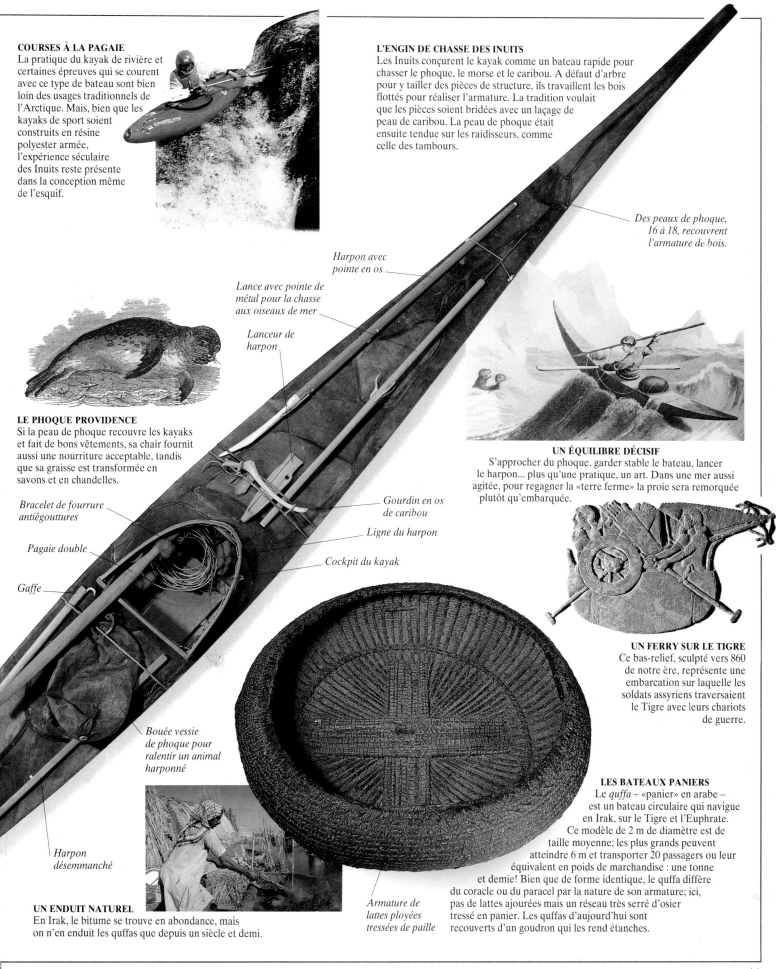

COURSES À LA PAGAIE
La pratique du kayak de rivière et certaines épreuves qui se courent avec ce type de bateau sont bien loin des usages traditionnels de l'Arctique. Mais, bien que les kayaks de sport soient construits en résine polyester armée, l'expérience séculaire des Inuits reste présente dans la conception même de l'esquif.

L'ENGIN DE CHASSE DES INUITS
Les Inuits conçurent le kayak comme un bateau rapide pour chasser le phoque, le morse et le caribou. A défaut d'arbre pour y tailler des pièces de structure, ils travaillent les bois flottés pour réaliser l'armature. La tradition voulait que les pièces soient bridées avec un laçage de peau de caribou. La peau de phoque était ensuite tendue sur les raidisseurs, comme celle des tambours.

Des peaux de phoque, 16 à 18, recouvrent l'armature de bois.

Harpon avec pointe en os

Lance avec pointe de métal pour la chasse aux oiseaux de mer

Lanceur de harpon

LE PHOQUE PROVIDENCE
Si la peau de phoque recouvre les kayaks et fait de bons vêtements, sa chair fournit aussi une nourriture acceptable, tandis que sa graisse est transformée en savons et en chandelles.

Bracelet de fourrure antiégouttures

Pagaie double

Gaffe

Gourdin en os de caribou

Ligne du harpon

Cockpit du kayak

UN ÉQUILIBRE DÉCISIF
S'approcher du phoque, garder stable le bateau, lancer le harpon... plus qu'une pratique, un art. Dans une mer aussi agitée, pour regagner la «terre ferme» la proie sera remorquée plutôt qu'embarquée.

UN FERRY SUR LE TIGRE
Ce bas-relief, sculpté vers 860 de notre ère, représente une embarcation sur laquelle les soldats assyriens traversaient le Tigre avec leurs chariots de guerre.

Bouée vessie de phoque pour ralentir un animal harponné

Harpon désemmanché

LES BATEAUX PANIERS
Le *quffa* – «panier» en arabe – est un bateau circulaire qui navigue en Irak, sur le Tigre et l'Euphrate. Ce modèle de 2 m de diamètre est de taille moyenne; les plus grands peuvent atteindre 6 m et transporter 20 passagers ou leur équivalent en poids de marchandise : une tonne et demie! Bien que de forme identique, le quffa diffère du coracle ou du paracel par la nature de son armature; ici, pas de lattes ajourées mais un réseau très serré d'osier tressé en panier. Les quffas d'aujourd'hui sont recouverts d'un goudron qui les rend étanches.

UN ENDUIT NATUREL
En Irak, le bitume se trouve en abondance, mais on n'en enduit les quffas que depuis un siècle et demi.

Armature de lattes ployées tressées de paille

CANOTS VÊTUS D'ÉCORCE...

Comme une peau d'animal, la peau des arbres, leur écorce, permet de réaliser un bateau étanche. Les barques d'écorce ont existé presque partout, mais elles atteignent la perfection dans le nord de l'Amérique. Cette région est irriguée par un vaste réseau de rivières et de lacs. Autrefois, sur ces immenses étendues, les tribus avaient besoin de canots pour le transport, la chasse et la guerre. Les canots d'écorce sont assez solides pour affronter les rapides et assez légers pour être portés sur de longues distances. Les meilleurs d'entre eux étaient faits d'écorce de bouleau blanc, d'orme, de châtaignier ou d'épicéa. Rapidement, les colons adoptèrent à leur tour les canots indiens pour l'exploration et la chasse des animaux à fourrure. L'ère des canots d'écorce est maintenant révolue, mais la forme parfaite de ces embarcations a été adoptée pour les canoës en matériaux modernes : bois moulé et résine.

CANOT D'EUCALYPTUS
Les aborigènes d'Australie réalisaient des canots d'écorce d'eucalyptus, tels que celui de ce pêcheur de Tasmanie. Les canots d'écorce, également remarquables, ont été le fruit d'une tradition en Terre de Feu, en Afrique, en Chine, en Indonésie, en Sibérie et en Scandinavie.

PASSAGE DE RAPIDES
Pour les colons européens et les visiteurs de la région, le caractère sauvage du Canada offrait des ressources inégalées pour la chasse, la pêche et les émotions fortes en canot sur les rivières rapides.

CANOË ALGONQUIN
Ce canoë d'écorce de bouleau est l'œuvre d'un fils de chef algonquin. Les Algonquins vivaient dans la vallée d'Ottawa et sur les affluents du Saint-Laurent, aujourd'hui l'Ontario, au Canada. Il s'agit ici d'un petit canoë de 3 m; les canots de guerre atteignaient 11 m. Les canots d'écorce de bouleau étaient plus rapides que ceux en orme des Iroquois, les ennemis des Algonquins.

SERVICE EXPRESS
La Compagnie de la Baie d'Hudson utilisait ce type de canot de 12 m pour transporter des personnalités et des messages urgents vers les postes dispersés. La cadence de nage des pagaies était de 40 coups par minute.

TOUCHE FINALE
Contrairement aux canots bordés en peau, les canots d'écorce sont construits l'enveloppe en premier. Les différentes pièces d'écorce sont en place, prêtes à être cousues avec des racines d'épicéa. Les trous de couture seront ensuite bouchés à la résine.

RAIDISSAGE
On construit un canoë avec pour seuls outils une hache et un couteau. Cette femme taille un couple dans un morceau d'épicéa qu'on lacera à l'intérieur du canot pour le «raidir».

DES CHASSEURS INFAILLIBLES
Les Chippewa, tribu algonquine de la région des Grands Lacs, étaient de grands chasseurs. Ils construisaient les canots de la Compagnie de la Baie d'Hudson. Cette photo date de 1900.

Cette traverse de bois n'est pas un banc, mais un renfort. On ne pagaye en effet qu'agenouillé sur le fond du canoë.

Le canoë est cousu avec des racines d'épicéa et calfaté à la résine.

D'UNE SEULE PIÈCE
Une vue du fond de ce canot algonquin montre qu'il est composé d'un seul morceau d'écorce.

LÉGER COMME UN CANOË
Ce détail d'une carte française du XVIIe siècle montre un portage de canoë. Ces pittoresques parties d'un voyage permettaient aux trappeurs d'éviter les rapides et de passer d'une rivière à l'autre.

HÉRITAGE NAVAL
La forme du canoë est si parfaite pour les eaux tumultueuses qu'elle est reprise telle quelle dans la construction des canoës contemporains d'épreuves sportives.

UN JOUR DE LA VIE DES MICMAC
Les Micmac vivaient sur la côte est du Canada. Leurs canots étaient fermés aux deux bouts pour pouvoir naviguer en mer au large sans risque d'embarquer des vagues. Dans cette scène, peinte vers 1830, un des canoës présente une voile carrée et des fusils, qui sont des emprunts aux colons européens.

... CANOTS DE TRONCS CREUSÉS

Depuis 8 000 ans on abat des arbres que l'on évide pour en faire les plus simples des bateaux en bois : des troncs creusés. Les plus petits sont à peine assez larges pour embarquer une personne debout, tandis que d'autres, comme les canots de guerre des Maoris de Nouvelle-Zélande ou ceux de la tribu Haida du Canada, sur la côte du Pacifique, peuvent transporter vingt personnes et sont somptueusement décorés. Mais ce sont des bateaux lourds que leur faible hauteur de bordage condamne généralement à ne fréquenter que les eaux calmes. Cependant, ce sont ces mêmes pirogues, stabilisées par de puissants balanciers, qui accomplirent de prodigieux voyages hauturiers dans l'océan Pacifique avec un matériel de survie et de navigation parfaitement adapté.

CHAUDS LES CAILLOUX
Un canot creusé peut être élargi de façon originale. On le remplit d'eau que l'on porte à ébullition, en y jetant des pierres chauffées à blanc. Etuvé et souple, le bois peut alors être écarté.

Gros maillet
de charpentier

Grande herminette
à deux mains

CANOT DE GUERRE
Avec leurs seuls outils de pierre taillée et affûtée, les Maoris de Nouvelle-Zélande ont créé les canots les plus finement décorés du monde. Creusés dans des sapins kauri, ils pouvaient atteindre 20 m de long.

*Herminette
à une main*

*Cheville de
fixation des
fargues (bordage
haut) rapportées*

CREUSER UN TRONC
L'extérieur de cette pirogue monoxyle indonésienne a été dégrossi et le travail d'évidement de la coque a commencé. Les murailles du bateau ont été rehaussées par l'insertion de fargues chevillées. Une fois l'intérieur terminé, la coque est retournée, affinée et polie au grattoir.

Petit maillet

UN CARGO MULTICOLORE
En Afrique et en Amérique du Sud, les pirogues creusées restent un important moyen de transport et de pêche. On y dort, on y prépare ses repas, on s'y réfugie contre les dangers de la terre.

*Organeau de ligne
de mouillage*

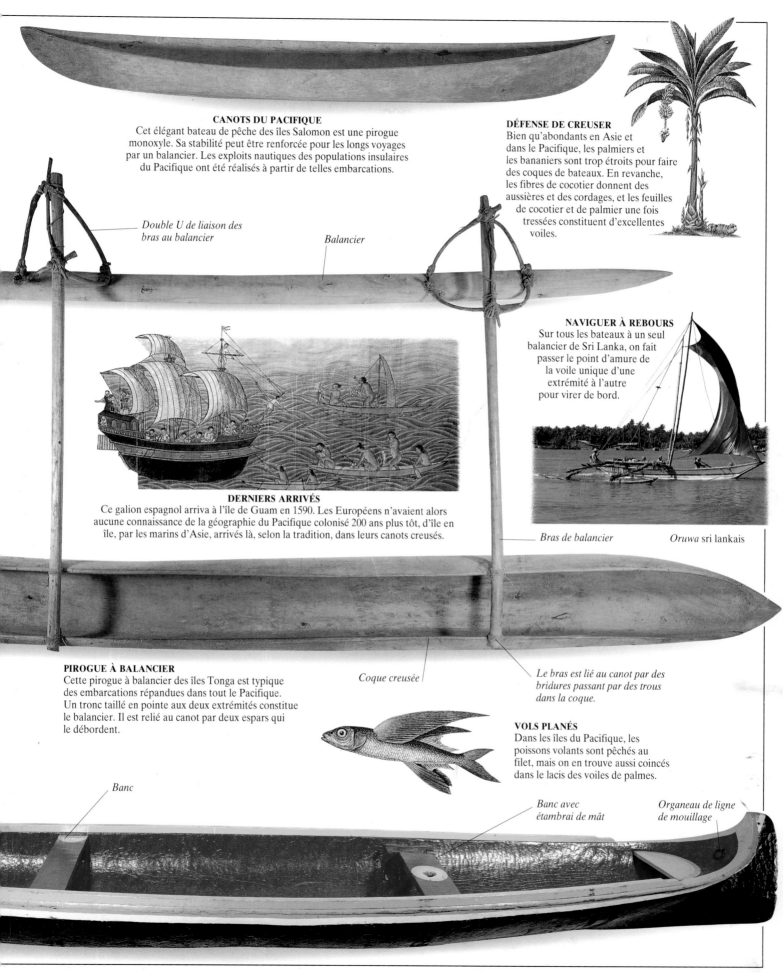

CANOTS DU PACIFIQUE
Cet élégant bateau de pêche des îles Salomon est une pirogue monoxyle. Sa stabilité peut être renforcée pour les longs voyages par un balancier. Les exploits nautiques des populations insulaires du Pacifique ont été réalisés à partir de telles embarcations.

DÉFENSE DE CREUSER
Bien qu'abondants en Asie et dans le Pacifique, les palmiers et les bananiers sont trop étroits pour faire des coques de bateaux. En revanche, les fibres de cocotier donnent des aussières et des cordages, et les feuilles de cocotier et de palmier une fois tressées constituent d'excellentes voiles.

Double U de liaison des bras au balancier

Balancier

NAVIGUER À REBOURS
Sur tous les bateaux à un seul balancier de Sri Lanka, on fait passer le point d'amure de la voile unique d'une extrémité à l'autre pour virer de bord.

DERNIERS ARRIVÉS
Ce galion espagnol arriva à l'île de Guam en 1590. Les Européens n'avaient alors aucune connaissance de la géographie du Pacifique colonisé 200 ans plus tôt, d'île en île, par les marins d'Asie, arrivés là, selon la tradition, dans leurs canots creusés.

Bras de balancier

Oruwa sri lankais

PIROGUE À BALANCIER
Cette pirogue à balancier des îles Tonga est typique des embarcations répandues dans tout le Pacifique. Un tronc taillé en pointe aux deux extrémités constitue le balancier. Il est relié au canot par deux espars qui le débordent.

Coque creusée

Le bras est lié au canot par des bridures passant par des trous dans la coque.

VOLS PLANÉS
Dans les îles du Pacifique, les poissons volants sont pêchés au filet, mais on en trouve aussi coincés dans le lacis des voiles de palmes.

Banc

Banc avec étambrai de mât

Organeau de ligne de mouillage

LE BORDÉ DE BOIS CONQUIERT LE LARGE

L'assemblage de pièces de bois de forme adéquate permet de construire n'importe quel type de bateau. Longueur et profondeur ne sont pas bornées, ou limitées, comme sur les canots creusés, aux dimensions du tronc d'arbre. Passagers et chargement sont ainsi en sécurité sur des bateaux spécialement dessinés pour la mer. Le plus souvent, le bordage est fixé sur un premier squelette de membrures et de carlingues. Des couples ployés peuvent également venir renforcer un bordage de carène construit en premier. Sur quelques embarcations, la coque ne comprend que les seuls bordés et le bordage peut être à bords jointifs ou recouvrants – bordage à clins.

TRANSBORDEUR ARTICULÉ
Avant la construction du port de Madras, en Inde, les embarcations locales devaient affronter le violent ressac côtier. Au lieu d'être chevillés, les bordés étaient lacés ensemble pour leur donner une certaine souplesse.

BATEAUX COUSUS
Les pêcheurs de la côte orientale de l'Inde cousent toujours leurs bateaux. Ils placent des bottes d'herbe des marais, enveloppées de fibre de noix de coco, entre les joints des bordés, avant de lacer ces derniers avec des cordages de coco.

Joints de bordés réalisés à la résine

Saillie de structure

Rattan (lien de palme)

BORDÉS CREUSÉS
D'ordinaire, les bordés sont des planches droites, étuvées et courbées à la mise en place. Cependant, chaque bordé du *tora*, canot des îles Salomon, est creusé à la forme avant montage. De la fibre de palme les assemble. Les couples sont alors liés aux saillies de bois des bordés, laissées pour cet usage lors de la fabrication.

Couple ployé d'une pièce

Avant gainé de métal

UN ÉQUIPAGE ANIMAL
La Bible nous apprend que l'Arche de Noé mesurait 133 m de long. Sur ce vitrail anglais du XIIIe siècle, l'arche apparaît comme un cog, bateau bordé sur membrures de l'Europe du Nord.

Arrière carré

LE NEZ EN L'AIR
Ce bateau de pêche portugais, à bordés jointifs, est mis à l'eau depuis la plage. Son fond plat glisse sur le sable, et sa proue ne pique jamais dans le ressac. L'arrière carré est formé par des bordés de fond étuvés et pliés. C'est un joli travail de formage, très différent du classique arrière plat des chaloupes.

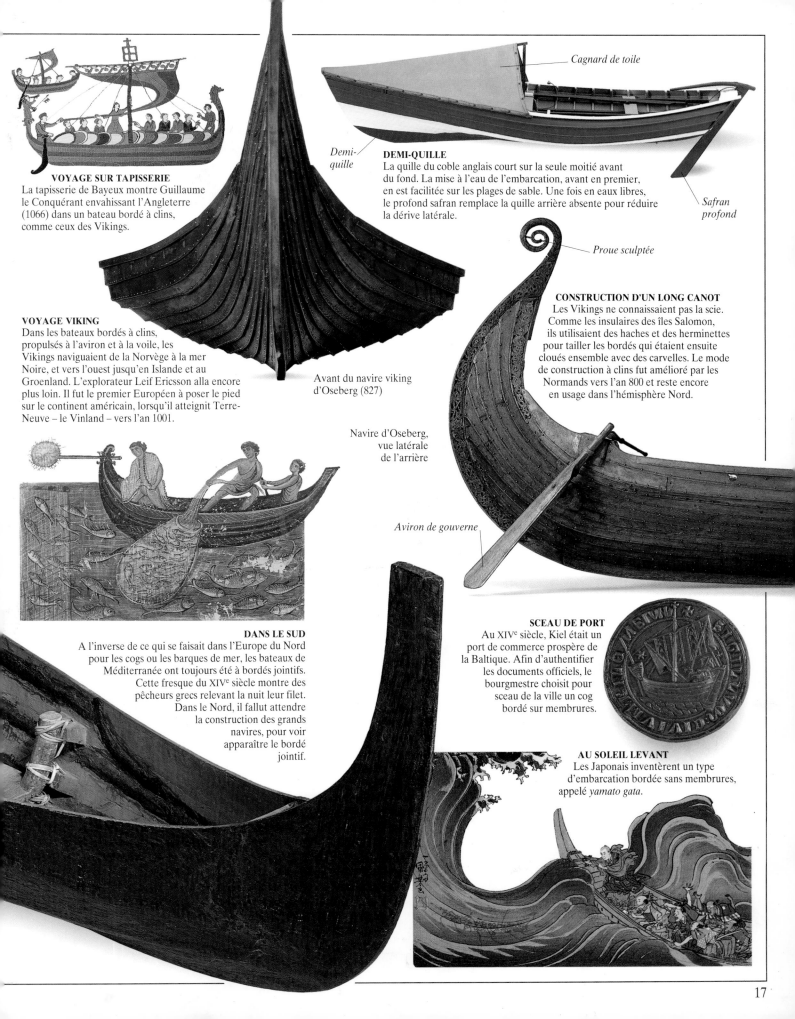

VOYAGE SUR TAPISSERIE
La tapisserie de Bayeux montre Guillaume
le Conquérant envahissant l'Angleterre
(1066) dans un bateau bordé à clins,
comme ceux des Vikings.

VOYAGE VIKING
Dans les bateaux bordés à clins,
propulsés à l'aviron et à la voile, les
Vikings naviguaient de la Norvège à la mer
Noire, et vers l'ouest jusqu'en Islande et au
Groenland. L'explorateur Leif Ericsson alla encore
plus loin. Il fut le premier Européen à poser le pied
sur le continent américain, lorsqu'il atteignit Terre-
Neuve – le Vinland – vers l'an 1001.

Cagnard de toile

*Demi-
quille*

DEMI-QUILLE
La quille du coble anglais court sur la seule moitié avant
du fond. La mise à l'eau de l'embarcation, avant en premier,
en est facilitée sur les plages de sable. Une fois en eaux libres,
le profond safran remplace la quille arrière absente pour réduire
la dérive latérale.

*Safran
profond*

Proue sculptée

CONSTRUCTION D'UN LONG CANOT
Les Vikings ne connaissaient pas la scie.
Comme les insulaires des îles Salomon,
ils utilisaient des haches et des herminettes
pour tailler les bordés qui étaient ensuite
cloués ensemble avec des carvelles. Le mode
de construction à clins fut amélioré par les
Normands vers l'an 800 et reste encore
en usage dans l'hémisphère Nord.

*Avant du navire viking
d'Oseberg (827)*

*Navire d'Oseberg,
vue latérale
de l'arrière*

Aviron de gouverne

DANS LE SUD
A l'inverse de ce qui se faisait dans l'Europe du Nord
pour les cogs ou les barques de mer, les bateaux de
Méditerranée ont toujours été à bordés jointifs.
Cette fresque du XIVe siècle montre des
pêcheurs grecs relevant la nuit leur filet.
Dans le Nord, il fallut attendre
la construction des grands
navires, pour voir
apparaître le bordé
jointif.

SCEAU DE PORT
Au XIVe siècle, Kiel était un
port de commerce prospère de
la Baltique. Afin d'authentifier
les documents officiels, le
bourgmestre choisit pour
sceau de la ville un cog
bordé sur membrures.

AU SOLEIL LEVANT
Les Japonais inventèrent un type
d'embarcation bordée sans membrures,
appelé *yamato gata*.

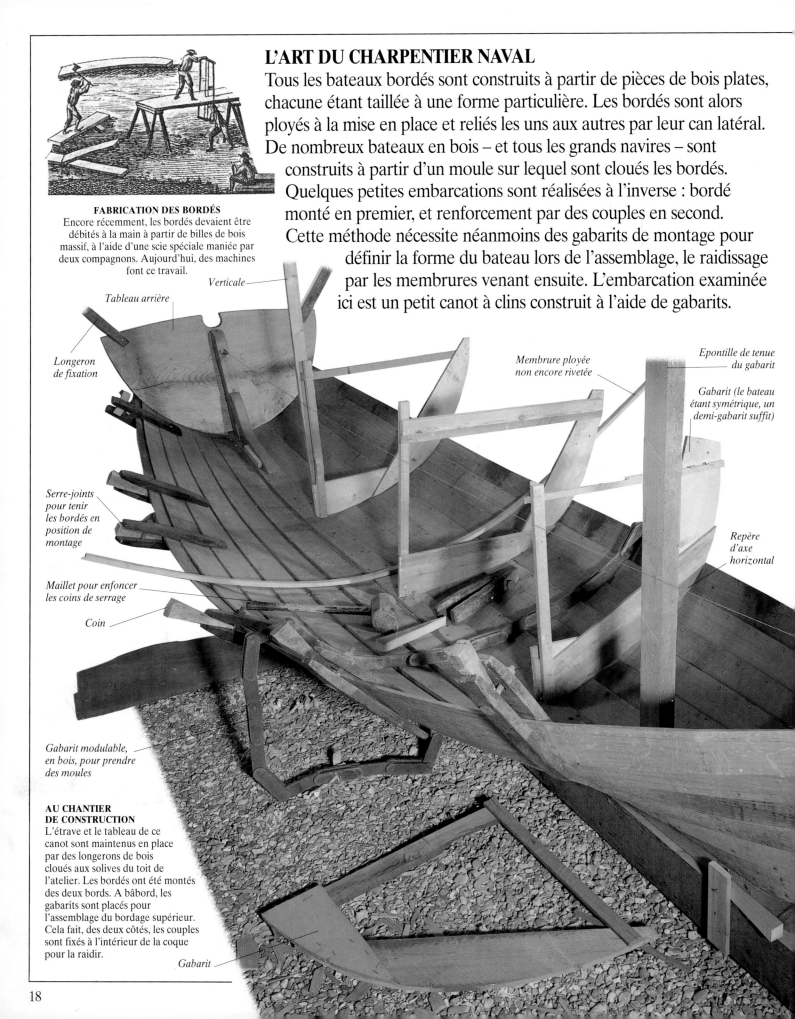

L'ART DU CHARPENTIER NAVAL

Tous les bateaux bordés sont construits à partir de pièces de bois plates, chacune étant taillée à une forme particulière. Les bordés sont alors ployés à la mise en place et reliés les uns aux autres par leur can latéral. De nombreux bateaux en bois – et tous les grands navires – sont construits à partir d'un moule sur lequel sont cloués les bordés. Quelques petites embarcations sont réalisées à l'inverse : bordé monté en premier, et renforcement par des couples en second. Cette méthode nécessite néanmoins des gabarits de montage pour définir la forme du bateau lors de l'assemblage, le raidissage par les membrures venant ensuite. L'embarcation examinée ici est un petit canot à clins construit à l'aide de gabarits.

FABRICATION DES BORDÉS
Encore récemment, les bordés devaient être débités à la main à partir de billes de bois massif, à l'aide d'une scie spéciale maniée par deux compagnons. Aujourd'hui, des machines font ce travail.

Verticale

Tableau arrière

Longeron de fixation

Membrure ployée non encore rivetée

Epontille de tenue du gabarit

Gabarit (le bateau étant symétrique, un demi-gabarit suffit)

Serre-joints pour tenir les bordés en position de montage

Repère d'axe horizontal

Maillet pour enfoncer les coins de serrage

Coin

Gabarit modulable, en bois, pour prendre des moules

AU CHANTIER DE CONSTRUCTION
L'étrave et le tableau de ce canot sont maintenus en place par des longerons de bois cloués aux solives du toit de l'atelier. Les bordés ont été montés des deux bords. A bâbord, les gabarits sont placés pour l'assemblage du bordage supérieur. Cela fait, des deux côtés, les couples sont fixés à l'intérieur de la coque pour la raidir.

Gabarit

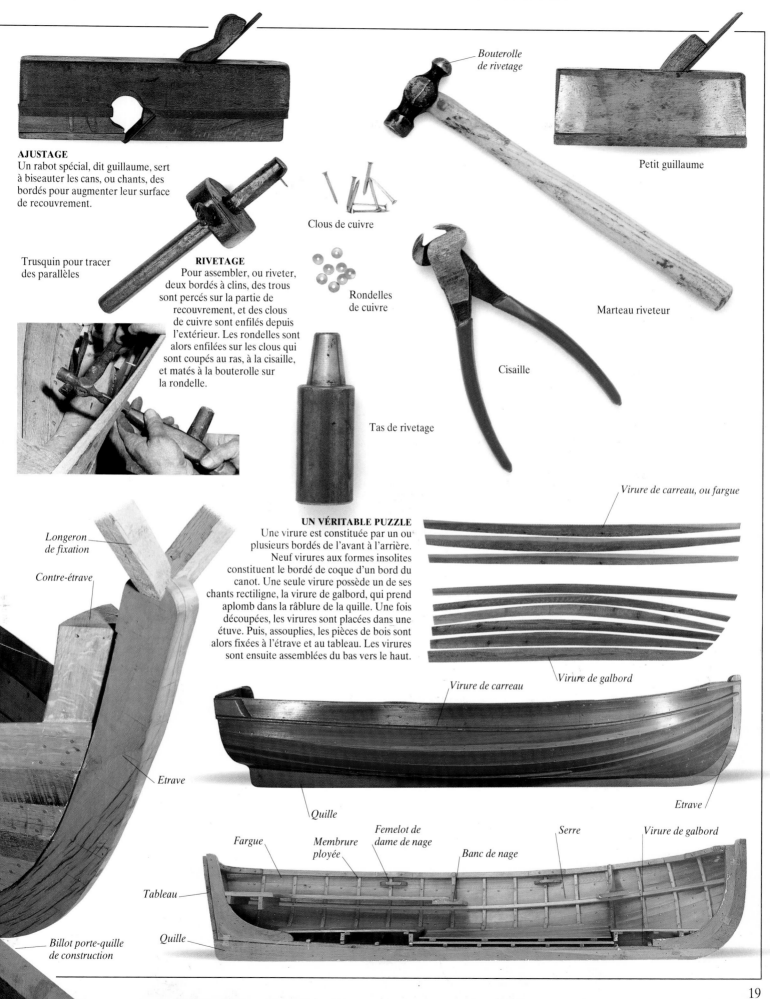

AJUSTAGE
Un rabot spécial, dit guillaume, sert à biseauter les cans, ou chants, des bordés pour augmenter leur surface de recouvrement.

Trusquin pour tracer des parallèles

RIVETAGE
Pour assembler, ou riveter, deux bordés à clins, des trous sont percés sur la partie de recouvrement, et des clous de cuivre sont enfilés depuis l'extérieur. Les rondelles sont alors enfilées sur les clous qui sont coupés au ras, à la cisaille, et matés à la bouterolle sur la rondelle.

Bouterolle de rivetage

Petit guillaume

Clous de cuivre

Rondelles de cuivre

Marteau riveteur

Cisaille

Tas de rivetage

UN VÉRITABLE PUZZLE
Une virure est constituée par un ou plusieurs bordés de l'avant à l'arrière. Neuf virures aux formes insolites constituent le bordé de coque d'un bord du canot. Une seule virure possède un de ses chants rectiligne, la virure de galbord, qui prend aplomb dans la râblure de la quille. Une fois découpées, les virures sont placées dans une étuve. Puis, assouplies, les pièces de bois sont alors fixées à l'étrave et au tableau. Les virures sont ensuite assemblées du bas vers le haut.

Virure de carreau, ou fargue

Virure de galbord

Longeron de fixation

Contre-étrave

Virure de carreau

Etrave

Etrave

Quille

Virure de galbord

Fargue

Membrure ployée

Femelot de dame de nage

Banc de nage

Serre

Tableau

Quille

Billot porte-quille de construction

L'AVIRON, UN PROPULSEUR TOUS TEMPS

La force musculaire humaine est le plus sûr et le plus simple moyen de propulser un bateau sur l'eau. S'il s'agit de petits canots, on utilise une perche ou bien une pagaie tenue à deux mains, qui permettent à la fois de les faire avancer et de les guider. Sur les embarcations plus importantes, on utilise des rames montées sur des tolets pivotants, placés sur le plat bord. La manœuvre conventionnelle des rames oblige le rameur à tourner le dos à la direction de la route suivie ; pourtant, dans certains pays, les rameurs poussent l'aviron face à l'avant. Les Grecs et les Romains de l'Antiquité construisirent d'immenses bâtiments de combat, les galères, qui embarquèrent jusqu'à 300 rameurs. La vie à bord de ces navires était si terrible qu'ils furent jusqu'au XVIII siècle conservés comme navires pénitentiaires.

ATTACHÉ AU MÂT
Cette mosaïque romaine illustre la légende d'Ulysse, affrontant les chants envoûtants des sirènes qui provoquaient le naufrage des navires. Il boucha avec de la cire les oreilles de ses compagnons, mais se fit attacher au mât de son bateau pour entendre les chants sans succomber à leur charme.

Les voiles latines à antenne sont établies quand le vent est favorable.

Plate-forme de combat

Eperon décoré

Canon en bronze

Eperon

Voile carrée

Aviron de gouverne

Avirons aux pelles décorées, maniés par trois galériens

NEZ DE FER
Les galères grecques étaient en fait des béliers flottants. L'ennemi sitôt aperçu, on faisait force de rames vers lui, pour tenter de l'éperonner et de le couler. Sur ce vase, qui date de 524 av. J.-C., la petite galère n'a qu'un seul rang de rameurs. Les Grecs construisirent également des birèmes et des trirèmes, à plusieurs rangs de nage superposés.

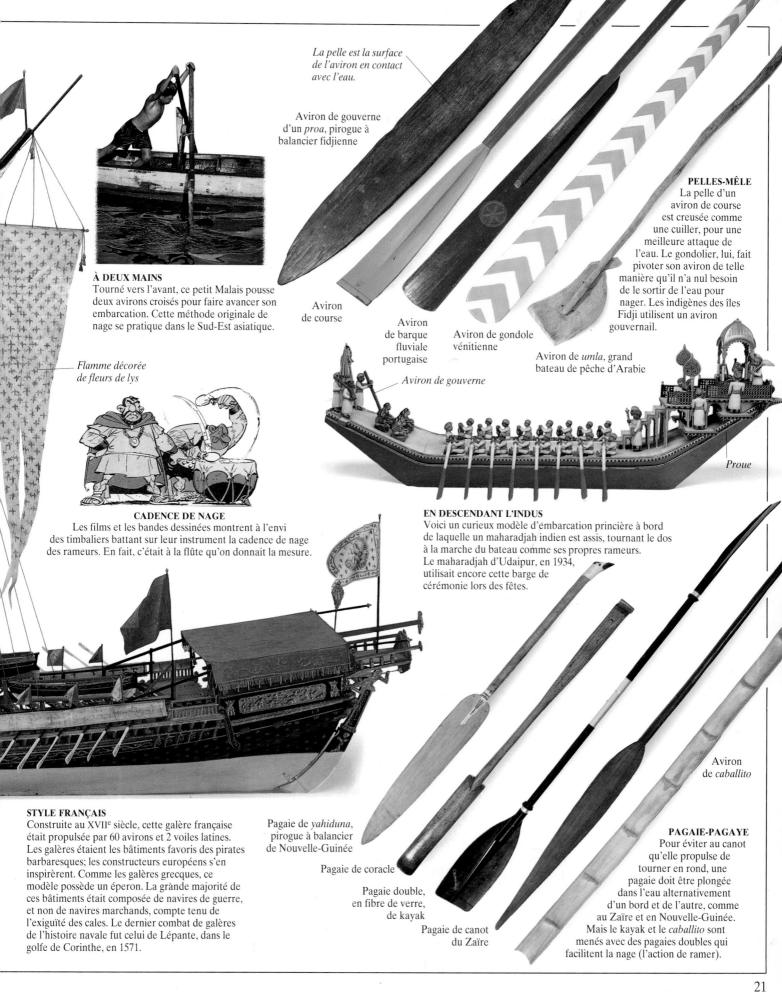

La pelle est la surface de l'aviron en contact avec l'eau.

Aviron de gouverne d'un *proa*, pirogue à balancier fidjienne

PELLES-MÊLE
La pelle d'un aviron de course est creusée comme une cuiller, pour une meilleure attaque de l'eau. Le gondolier, lui, fait pivoter son aviron de telle manière qu'il n'a nul besoin de le sortir de l'eau pour nager. Les indigènes des îles Fidji utilisent un aviron gouvernail.

À DEUX MAINS
Tourné vers l'avant, ce petit Malais pousse deux avirons croisés pour faire avancer son embarcation. Cette méthode originale de nage se pratique dans le Sud-Est asiatique.

Aviron de course

Aviron de barque fluviale portugaise

Aviron de gondole vénitienne

Aviron de *umla*, grand bateau de pêche d'Arabie

Flamme décorée de fleurs de lys

Aviron de gouverne

CADENCE DE NAGE
Les films et les bandes dessinées montrent à l'envi des timbaliers battant sur leur instrument la cadence de nage des rameurs. En fait, c'était à la flûte qu'on donnait la mesure.

Proue

EN DESCENDANT L'INDUS
Voici un curieux modèle d'embarcation princière à bord de laquelle un maharadjah indien est assis, tournant le dos à la marche du bateau comme ses propres rameurs. Le maharadjah d'Udaipur, en 1934, utilisait encore cette barge de cérémonie lors des fêtes.

STYLE FRANÇAIS
Construite au XVIIe siècle, cette galère française était propulsée par 60 avirons et 2 voiles latines. Les galères étaient les bâtiments favoris des pirates barbaresques; les constructeurs européens s'en inspirèrent. Comme les galères grecques, ce modèle possède un éperon. La grande majorité de ces bâtiments était composée de navires de guerre, et non de navires marchands, compte tenu de l'exiguïté des cales. Le dernier combat de galères de l'histoire navale fut celui de Lépante, dans le golfe de Corinthe, en 1571.

Pagaie de *yahiduna*, pirogue à balancier de Nouvelle-Guinée

Pagaie de coracle

Pagaie double, en fibre de verre, de kayak

Pagaie de canot du Zaïre

Aviron de *caballito*

PAGAIE-PAGAYE
Pour éviter au canot qu'elle propulse de tourner en rond, une pagaie doit être plongée dans l'eau alternativement d'un bord et de l'autre, comme au Zaïre et en Nouvelle-Guinée. Mais le kayak et le *caballito* sont menés avec des pagaies doubles qui facilitent la nage (l'action de ramer).

21

SAVOIR DOMPTER LA BRISE

L'énergie de l'air en mouvement pousse un bateau sur l'eau. Là est tout l'art de la voile. La première voile a dû être une peau tendue entre deux perches en forme de mât bipode, ou bien encore un large dos de rameur poussé par le vent. Puis vint le mât, avec ses haubans latéraux et ses étais dans l'axe, pour le maintenir érigé sur la coque malgré les mouvements de la houle. Les focs et voiles d'étai sont hissés sur des drailles placées, comme les étais, dans l'axe du bateau. Les voiles carrées sont amarrées à leur partie supérieure sur des espars transversaux au navire, les vergues. Sur les petites unités et les yachts, les grand-voiles, artimons ou tapeculs sont hissés par leur ralingue dans une gorge du mât et raidis en partie basse par un gui ou bôme. Les écoutes et les bras permettent d'orienter les voiles selon l'allure.

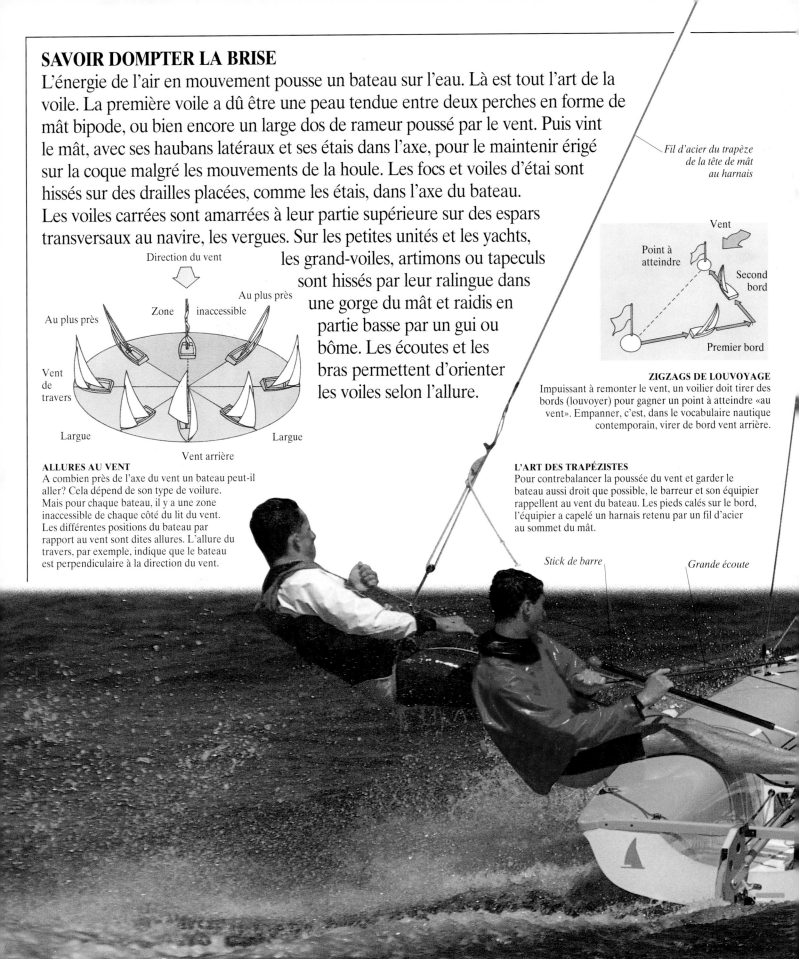

Fil d'acier du trapèze de la tête de mât au harnais

ZIGZAGS DE LOUVOYAGE
Impuissant à remonter le vent, un voilier doit tirer des bords (louvoyer) pour gagner un point à atteindre «au vent». Empanner, c'est, dans le vocabulaire nautique contemporain, virer de bord vent arrière.

ALLURES AU VENT
A combien près de l'axe du vent un bateau peut-il aller? Cela dépend de son type de voilure. Mais pour chaque bateau, il y a une zone inaccessible de chaque côté du lit du vent. Les différentes positions du bateau par rapport au vent sont dites allures. L'allure du travers, par exemple, indique que le bateau est perpendiculaire à la direction du vent.

L'ART DES TRAPÉZISTES
Pour contrebalancer la poussée du vent et garder le bateau aussi droit que possible, le barreur et son équipier rappellent au vent du bateau. Les pieds calés sur le bord, l'équipier a capelé un harnais retenu par un fil d'acier au sommet du mât.

Stick de barre

Grande écoute

Direction du vent

Zone inaccessible

Au plus près

Au plus près

Au plus près

Vent de travers

Largue

Largue

Vent arrière

Vent

Point à atteindre

Second bord

Premier bord

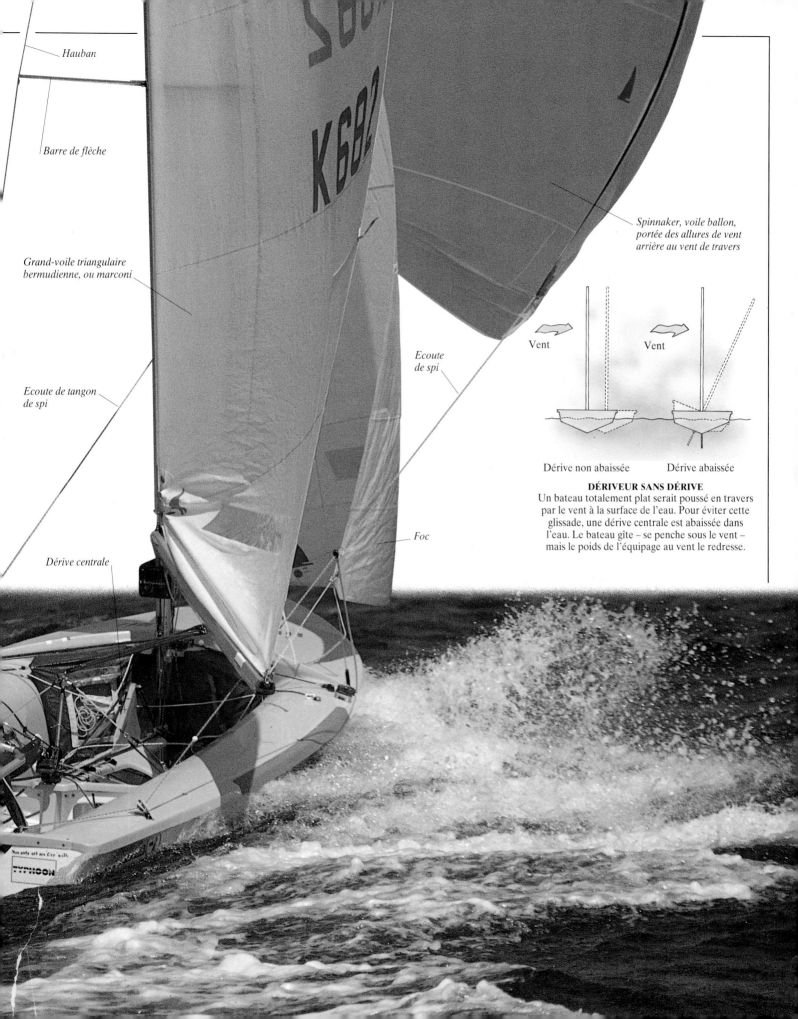

Hauban

Barre de flèche

*Grand-voile triangulaire
bermudienne, ou marconi*

*Ecoute de tangon
de spi*

Dérive centrale

*Spinnaker, voile ballon,
portée des allures de vent
arrière au vent de travers*

*Ecoute
de spi*

Foc

Vent   Vent

Dérive non abaissée   Dérive abaissée

DÉRIVEUR SANS DÉRIVE
Un bateau totalement plat serait poussé en travers
par le vent à la surface de l'eau. Pour éviter cette
glissade, une dérive centrale est abaissée dans
l'eau. Le bateau gîte – se penche sous le vent –
mais le poids de l'équipage au vent le redresse.

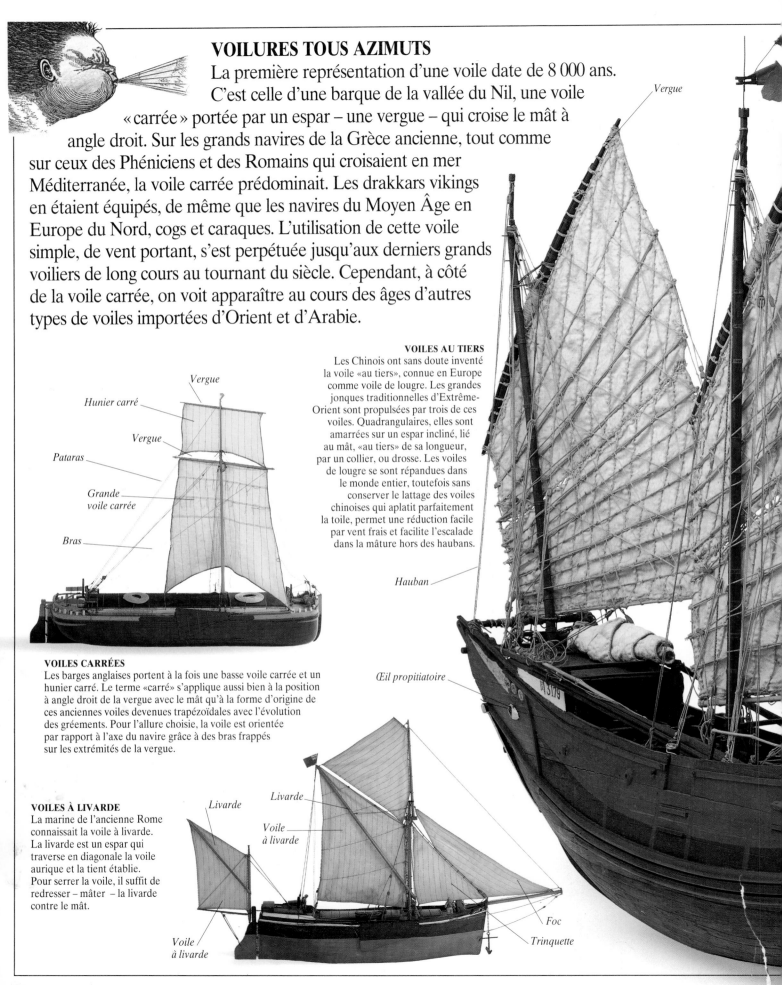

VOILURES TOUS AZIMUTS

La première représentation d'une voile date de 8 000 ans. C'est celle d'une barque de la vallée du Nil, une voile «carrée» portée par un espar – une vergue – qui croise le mât à angle droit. Sur les grands navires de la Grèce ancienne, tout comme sur ceux des Phéniciens et des Romains qui croisaient en mer Méditerranée, la voile carrée prédominait. Les drakkars vikings en étaient équipés, de même que les navires du Moyen Âge en Europe du Nord, cogs et caraques. L'utilisation de cette voile simple, de vent portant, s'est perpétuée jusqu'aux derniers grands voiliers de long cours au tournant du siècle. Cependant, à côté de la voile carrée, on voit apparaître au cours des âges d'autres types de voiles importées d'Orient et d'Arabie.

Vergue

Vergue

Hunier carré

Vergue

Pataras

Grande voile carrée

Bras

VOILES AU TIERS
Les Chinois ont sans doute inventé la voile «au tiers», connue en Europe comme voile de lougre. Les grandes jonques traditionnelles d'Extrême-Orient sont propulsées par trois de ces voiles. Quadrangulaires, elles sont amarrées sur un espar incliné, lié au mât, «au tiers» de sa longueur, par un collier, ou drosse. Les voiles de lougre se sont répandues dans le monde entier, toutefois sans conserver le lattage des voiles chinoises qui aplatit parfaitement la toile, permet une réduction facile par vent frais et facilite l'escalade dans la mâture hors des haubans.

Hauban

Œil propitiatoire

VOILES CARRÉES
Les barges anglaises portent à la fois une basse voile carrée et un hunier carré. Le terme «carré» s'applique aussi bien à la position à angle droit de la vergue avec le mât qu'à la forme d'origine de ces anciennes voiles devenues trapézoïdales avec l'évolution des gréements. Pour l'allure choisie, la voile est orientée par rapport à l'axe du navire grâce à des bras frappés sur les extrémités de la vergue.

Livarde

Livarde

Voile à livarde

VOILES À LIVARDE
La marine de l'ancienne Rome connaissait la voile à livarde. La livarde est un espar qui traverse en diagonale la voile aurique et la tient établie. Pour serrer la voile, il suffit de redresser – mâter – la livarde contre le mât.

Voile à livarde

Foc

Trinquette

VOILES À ANTENNE

Sous ce terme, on peut aussi bien ranger les voiles classiques latines triangulaires à amure en pointe que cette voile quadrangulaire à chute verticale sur l'avant, souvent portée par les «dhows» arabes de l'océan Indien.

Vergue

Voile latine

Voile latine

Pavillon du Koweït

VOILES LATINES

Le «dhow» des pêcheurs de perles du Koweït porte deux voiles latines à antenne. Ce sont des voiles dans l'axe qui permettent une bonne marche à l'allure du près, mais dont la manœuvre de passage d'antenne d'un bord sur l'autre au virement de bord est délicat.

Lattes de bambou pour raidir le plan de voilure

Mât

VOILES DE PIROGUES

Voile latine ou voile «carrée-triangulaire» à Bali? C'est en tout cas une voile très astucieuse, aussi bonne au près qu'au large par la modification d'inclinaison de ses mâts-vergues.

Artimon

Voile latine

Grand mât

Mât de misaine

Voile carrée

Annexe

Beaupré

Palanquin de relevage du safran par petit fond

COCKTAIL VÉLIQUE

Connu sous le nom de caravelle, ce navire portugais du XVᵉ siècle porte des voiles carrées sous son beaupré et à son mât de misaine. Les trois autres mâts sont équipés de voiles latines. Deux siècles plus tard, les grands navires porteront des voiles carrées sur leurs trois-mâts, ainsi que des voiles axiales.

AU TEMPS DE LA MARINE À VOILE

Comme les vaisseaux de l'espace de nos jours, les navires à voiles des siècles passés partaient vers des pays inconnus. Au XVe siècle, des voiliers emmenèrent Christophe Colomb en Amérique et Vasco de Gama aux Indes. Trois cents ans plus tard, ce sont encore des navires à voiles qui conduisent James Cook, Bougainville et La Pérouse vers les mers du Sud. Les voiliers permirent l'exploration des continents et des mers, ainsi que leur cartographie. Après les découvreurs vinrent les marchands, qui relièrent entre eux les continents grâce aux trafics commerciaux. Mais, à travers les siècles, ceux qui naviguèrent à la voile eurent un mode de vie bien particulier : le calfatage des ponts, le ferlage et le brasseyage des voiles carrées étaient autant de tâches spécifiques, aujourd'hui presque oubliées, avec pour cadre la mer, toujours présente, aux humeurs imprévisibles.

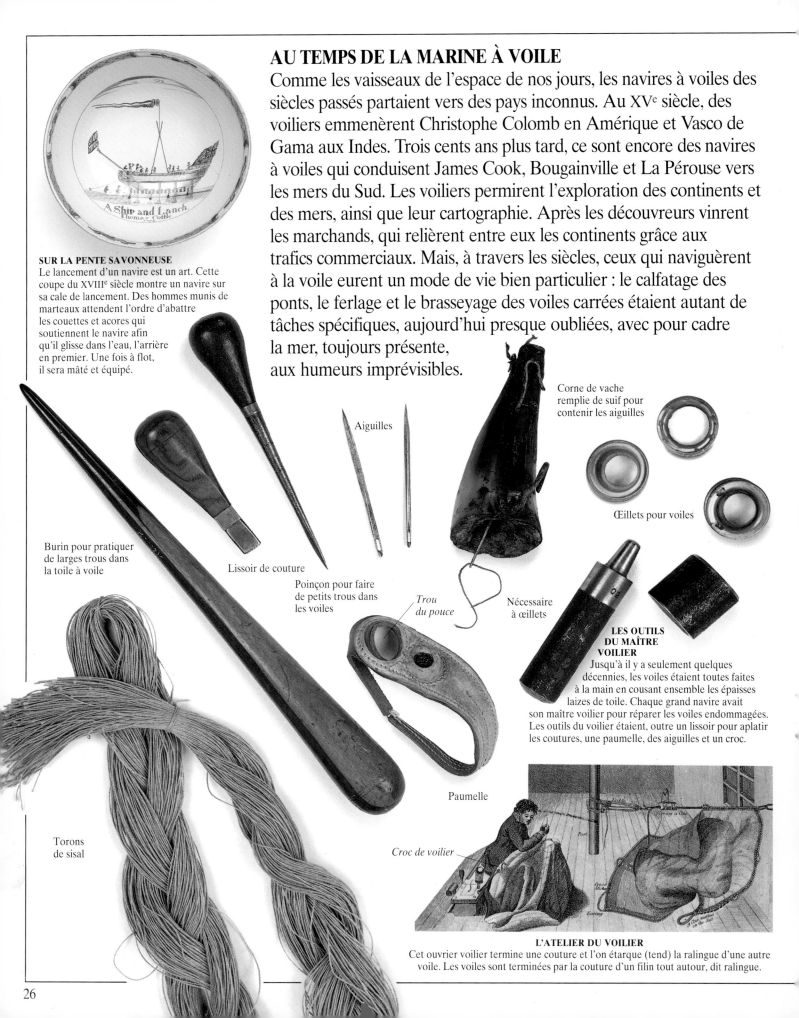

SUR LA PENTE SAVONNEUSE
Le lancement d'un navire est un art. Cette coupe du XVIIIe siècle montre un navire sur sa cale de lancement. Des hommes munis de marteaux attendent l'ordre d'abattre les couettes et acores qui soutiennent le navire afin qu'il glisse dans l'eau, l'arrière en premier. Une fois à flot, il sera mâté et équipé.

Burin pour pratiquer de larges trous dans la toile à voile

Lissoir de couture

Aiguilles

Poinçon pour faire de petits trous dans les voiles

Trou du pouce

Corne de vache remplie de suif pour contenir les aiguilles

Œillets pour voiles

Nécessaire à œillets

LES OUTILS DU MAÎTRE VOILIER
Jusqu'à il y a seulement quelques décennies, les voiles étaient toutes faites à la main en cousant ensemble les épaisses laizes de toile. Chaque grand navire avait son maître voilier pour réparer les voiles endommagées. Les outils du voilier étaient, outre un lissoir pour aplatir les coutures, une paumelle, des aiguilles et un croc.

Torons de sisal

Paumelle

Croc de voilier

L'ATELIER DU VOILIER
Cet ouvrier voilier termine une couture et l'on étarque (tend) la ralingue d'une autre voile. Les voiles sont terminées par la couture d'un filin tout autour, dit ralingue.

26

Mât de misaine

Grand mât

Petit cacatois

Grand cacatois

Petit perroquet

Bonnette
de grand
perroquet

**COIFFÉ
PAR L'ARRIÈRE**
Pris dans le gros temps, ce
bâtiment, le *Joseph Sampson*,
risque d'être «capelé» par la
houle. Une vague, en effet,
peut déferler sur la poupe et
pousser le navire en travers.

Petit hunier

Grand foc

Faux foc

Petit foc

Beaupré

Brigantine

Bonnette basse

Arc-boutant de beaupré

Bout-dehors de
bonnette basse

Figure de proue

Etal avant

Misaine

TOUTES VOILES DEHORS
Voici un navire marchand du milieu du XIXe siècle.
Gréé de deux phares carrés, c'est un brick. Une jolie brise de l'arrière le
pousse, et son équipage a envoyé toute la voilure y compris les bonnettes,
des voiles supplémentaires en bout de vergue que les voiliers rapides
portèrent dès le début du XVIIIe siècle.

VOIES D'EAU
L'ouvrier calfat garde les ponts
étanches en forçant de l'étoupe
dans les coutures des bordés et
en y faisant couler du brai
chaud liquide.

**RONGEURS
DE NAVIRES**
Des vers tels que les
tarets perçaient des trous
dans les coques en bois des
voiliers. Aussi, dès la fin du XVIIe
siècle, les bâtiments furent-ils
doublés en cuivre pour
empoisonner mollusques
et berniques.

**VÉGÉTATION
SOUS-MARINE**
On a sorti de la mer
cette bouteille couverte
de berniques. Ces
coquillages se fixent
aux coques des navires,
ralentissant ainsi leur marche.

L'ADIEU DU MARIN
Les adieux du marin à sa fiancée furent le thème favori des fabricants de souvenirs du XVIIIe siècle.

DEBOUT LÀ-DEDANS !
Le hamac fut emprunté aux indigènes des Indes occidentales dès le XVIe siècle. Jusqu'à cette époque, les marins dormaient à même le pont.

NAVIGUER, UN DUR MÉTIER

À bord de leur navire exportant les produits manufacturés d'Europe ou important le thé de Chine, les marins restaient de longs mois loin de chez eux. La vie à l'étroit dans les postes et dans des conditions de salubrité précaires les forçait à s'endurcir. Pour tout menu, du lard salé et des haricots, les fruits et légumes frais ayant été vite épuisés au début du voyage. La paye n'était pas non plus alléchante.

QUART EN BAS
Un «plat de huit» à table, dans l'entrepont d'un vaisseau de guerre. Les sabords sont ouverts pour aérer le faux pont et donner de la lumière. L'alerte sonnée, tables et bancs sont dégagés pour qu'on puisse mettre les canons en batterie.

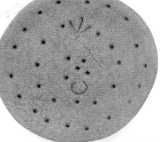

CASSE-DENTS
Les marins de la Royal Navy recevaient une ration quotidienne d'une livre de ces biscuits de pierre.

L'ÎLE EN SUCRE
Cette carte du XVIIe siècle montre, à la Barbade, un moulin à sucre actionné par des esclaves. Les plantations de sucre des Indes occidentales furent à l'origine d'immenses fortunes.

MÉDECINE PRÉVENTIVE
Pour prévenir le scorbut, provoqué par un manque de vitamine C, on faisait absorber aux marins britanniques du jus de limon hélas inefficace.

COMPAGNONS DE VOYAGE
Les cales de la plupart des navires étaient infestées de rats, dont les puces transportaient la peste de port en port.

ÉLIXIR DE LA BARBADE
Ces mesures à alcool et le tonnelet de 27 litres servaient à distribuer aux matelots leur ration quotidienne de rhum. Distillé à partir du sucre de canne, le rhum se conservait mieux, à bord, que la bière. On ne le buvait toutefois que sous forme de grog : 1/5e d'alcool pour 4/5e d'eau.

POUSSE-BARRIQUE
A Antigua, aux Antilles, on roulait les barriques de sucre, ou boucauts, jusqu'aux canots à demi chavirés puis redressés pour rejoindre les navires mouillés sur rade.

LA BELLE ESCALE
Voici Portsmouth, en Angleterre, au début du XIXe siècle. Comme tous les ports, il avait son quartier chaud où les marins pouvaient se distraire et dépenser leurs économies.

TRANSPORT DE CHEVAUX
Comme tout autre chargement, les chevaux voyageaient par mer. Sur cette maquette, les bêtes sont embarquées sur un navire du XVIIIe siècle à l'aide de palans frappés sur une vergue. Une fois dans la cale, une litière de sable protège leurs sabots du roulis.

PAVILLON PIRATE
Personne ne sait pourquoi le pavillon pirate est appelé «Jolly Roger» en anglais. Une tête de mort et deux tibias entrecroisés composent son décor.

Réserve de foin

Sangle-harnais, attachée au cheval pendant tout le voyage

Panneau de cale

Valet d'écurie

Barrique d'eau à boire

GUET-APENS
Déguisés et dissimulés, ces pirates sont sur le point d'attaquer par surprise le navire américain qu'ils ont hélé au porte-voix. Les pirates les plus célèbres, Barbe-Noire et Morgan, opéraient dans les Caraïbes. La piraterie est vieille comme les navires et continue à s'exercer de par le monde.

CHARGEMENT HUMAIN
Ces hommes furent trouvés sur le négrier espagnol *Albaroz* par un patrouilleur anglais en 1830, 23 ans après l'abolition de l'esclavage.

INFÂME TRAFIC
Au cours du XVIIe siècle, sept millions d'Africains furent pris pour travailler comme esclaves dans les plantations de sucre et de coton des Indes occidentales et d'Amérique du Nord. Les conditions de vie à bord des négriers étaient si atroces que beaucoup d'hommes mouraient.

PLAN D'UN NÉGRIER
Quelque 345 personnes, hommes et femmes, étaient enchaînées dans les cales d'un négrier.

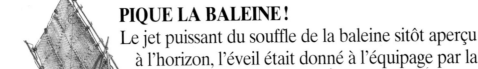

Chaumard-davier, filoire de ligne de harpon

PIQUE LA BALEINE !

Le jet puissant du souffle de la baleine sitôt aperçu à l'horizon, l'éveil était donné à l'équipage par la vigie en haut du mât : « Elle souffle ! » À ce cri, les baleinières étaient vite débordées et on souquait ferme sur les avirons pour aller harponner la bête imprudente venue respirer à la surface. Pendant longtemps, la chasse aux cétacés s'est pratiquée à partir de la terre. Baleines et cachalots aperçus étaient la providence des insulaires et des gens de la côte. On en tirait, outre de la graisse aux multiples usages, de la viande à saler pour la nourriture de base. Aux grandes heures de la pêche au large, au début du XIXᵉ siècle, à partir de grands navires, les baleiniers entreprenaient d'immenses et interminables voyages et ne rentraient au port qu'une fois leurs cales pleines. Du gras des baleines on faisait des chandelles, du savon et des fards.

Voile de feuilles de palmier tressées

Harpon

Aviron

BALEINIER D'INDONÉSIE
A Lamarela, sur l'île indonésienne de Lembata, on chasse encore le cachalot avec des embarcations frustes. Le harpon à main est la seule arme d'attaque de monstres qui mesurent parfois trois longueurs de bateau chasseur.

LES OUTILS DU MÉTIER
La gaffe sert aussi bien à attraper un «bout» qu'à amener le long du bord par la queue un cétacé capturé. Le harpon est une arme redoutable. Enfoncée profondément dans le corps de l'animal, son extrémité pivote en travers, empêchant le fer de sortir et provoquant des hémorragies fatales, tout comme la lance plantée à plusieurs reprises dans le même but. La pelle tranchante (louchet), elle, permet de ménager un trou dans la queue pour y frapper un câble de remorque qui permet de ramener la bête morte vers le navire.

Gaffe

Harpon

Harpon

Lance

Ligne de harpon

Louchet

CACHALOT DE BOIS
Cet objet façonné dans du bois dur par un matelot baleinier représente un cachalot. L'énorme tête carrée du cachalot contient une huile fine, le spermaceti, autrefois utilisée en parfumerie. De très nombreuses espèces de cachalots et de baleines existent de par les mers. Elles sont aujourd'hui relativement protégées par des interdictions de chasse. La baleine bleue est le plus grand baleinoptère connu.

L'ART DU HARPON
Une fois harponnée, la baleine plonge, la ligne étant filée à fond. La baleinière est aussitôt entraînée à grande vitesse dans le sillage du léviathan, parfois des heures durant, jusqu'au moment où la bête fait à nouveau surface pour respirer. C'est alors que les chasseurs s'approchent à la curée, plongeant leurs longues lances pour achever leur proie.

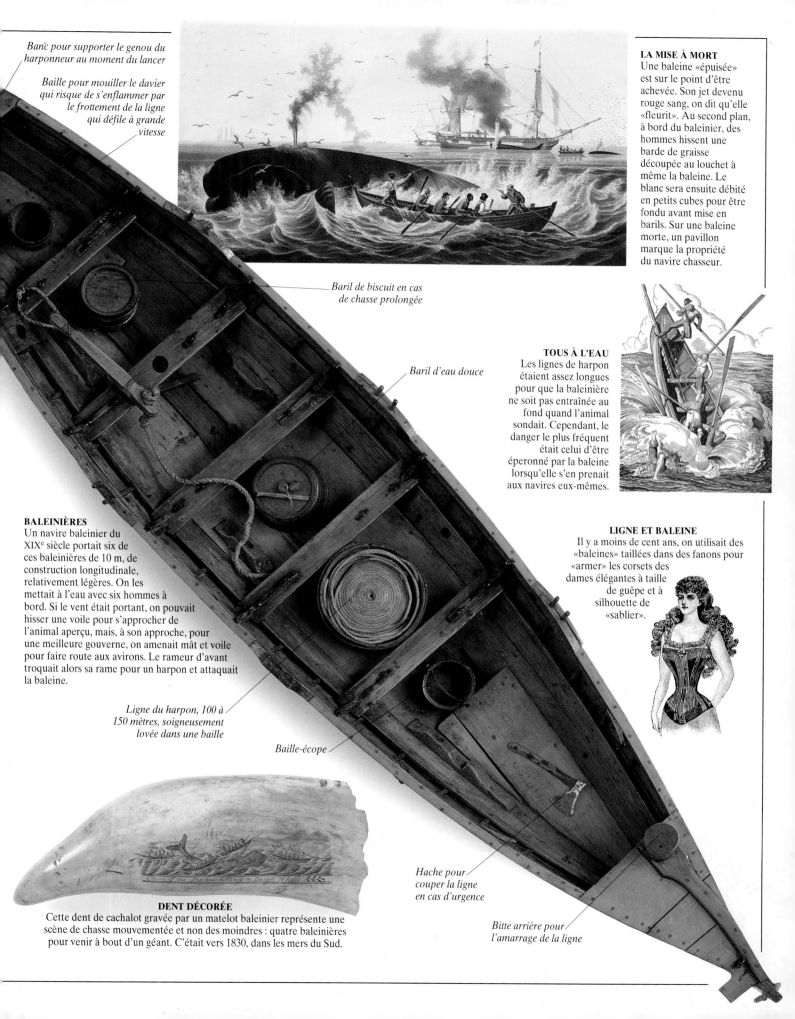

Banc pour supporter le genou du
harponneur au moment du lancer

Baille pour mouiller le davier
qui risque de s'enflammer par
le frottement de la ligne
qui défile à grande
vitesse

LA MISE À MORT
Une baleine «épuisée»
est sur le point d'être
achevée. Son jet devenu
rouge sang, on dit qu'elle
«fleurit». Au second plan,
à bord du baleinier, des
hommes hissent une
barde de graisse
découpée au louchet à
même la baleine. Le
blanc sera ensuite débité
en petits cubes pour être
fondu avant mise en
barils. Sur une baleine
morte, un pavillon
marque la propriété
du navire chasseur.

Baril de biscuit en cas
de chasse prolongée

Baril d'eau douce

TOUS À L'EAU
Les lignes de harpon
étaient assez longues
pour que la baleinière
ne soit pas entraînée au
fond quand l'animal
sondait. Cependant, le
danger le plus fréquent
était celui d'être
éperonné par la baleine
lorsqu'elle s'en prenait
aux navires eux-mêmes.

BALEINIÈRES
Un navire baleinier du
XIXe siècle portait six de
ces baleinières de 10 m, de
construction longitudinale,
relativement légères. On les
mettait à l'eau avec six hommes à
bord. Si le vent était portant, on pouvait
hisser une voile pour s'approcher de
l'animal aperçu, mais, à son approche, pour
une meilleure gouverne, on amenait mât et voile
pour faire route aux avirons. Le rameur d'avant
troquait alors sa rame pour un harpon et attaquait
la baleine.

LIGNE ET BALEINE
Il y a moins de cent ans, on utilisait des
«baleines» taillées dans des fanons pour
«armer» les corsets des
dames élégantes à taille
de guêpe et à silhouette de
«sablier».

Ligne du harpon, 100 à
150 mètres, soigneusement
lovée dans une baille

Baille-écope

DENT DÉCORÉE
Cette dent de cachalot gravée par un matelot baleinier représente une
scène de chasse mouvementée et non des moindres : quatre baleinières
pour venir à bout d'un géant. C'était vers 1830, dans les mers du Sud.

Hache pour
couper la ligne
en cas d'urgence

Bitte arrière pour
l'amarrage de la ligne

GENS DE MER RUDES, DÉCOR DU CŒUR

L'affection des marins pour leur navire est à la mesure de ce qu'il fait pour eux dans les coups durs de la mer. Afin de le distinguer des autres, on l'embellit de peinture et de sculptures originales. Par tradition, les navires à voiles s'ornaient d'une figure de proue taillée dans la masse et peinte. Souvent, le nom même du navire guidait l'inspiration du sculpteur. Plus sobres et fonctionnels, les navires à propulsion mécanique se sont dépouillés peu à peu de toute ornementation de coque.

Acier poli

Bordé peint

ACIER VÉNITIEN
La proue d'acier des gondoles semble les défendre comme un éperon. Son poids contrebalance celui du gondolier, ramant à l'arrière. Les six dents du motif décoratif symbolisent les six quartiers de Venise.

OISEAU ROMAIN
Forgée au 1er siècle, cette tête de cygne en bronze décorait vraisemblablement l'arrière d'un petit navire marchand romain.

POISSON-CHIEN
Créature imaginaire, mi-chien, mi-poisson, cette figure de proue orne l'avant d'un canot d'apparat du XVIIIe siècle, construit pour la famille royale d'Angleterre.

Victoire ailée

JOLI SOU
Cette pièce arbore une proue de navire à «oculus» pour commémorer la victoire chypriote à la bataille de Salamine, en 306 av. J.-C.

Support de gui en forme de V

Support de gui d'un bateau de pêche de Sourabaya, en Indonésie.

STYLE POLYNÉSIEN
C'est au XVe siècle que fut sculptée par un artisan maori du nord de la Nouvelle-Zélande cette proue de canot.

SEL EN POUPE
Cet arrière aux couleurs vives est celui d'un navire de charge, un *jangola*, transporteur de sel entre l'île indonésienne de Madura et le continent.

NAVIRE INCONNU
Cette figure de proue représentant le Président des Etats-Unis Abraham Lincoln fut jetée à la côte sur les îles Scilly, au sud-ouest de la Grande-Bretagne. Quelle étrave ornait-elle? Quand eut lieu le naufrage et pour quelle raison? Autant de mystères.

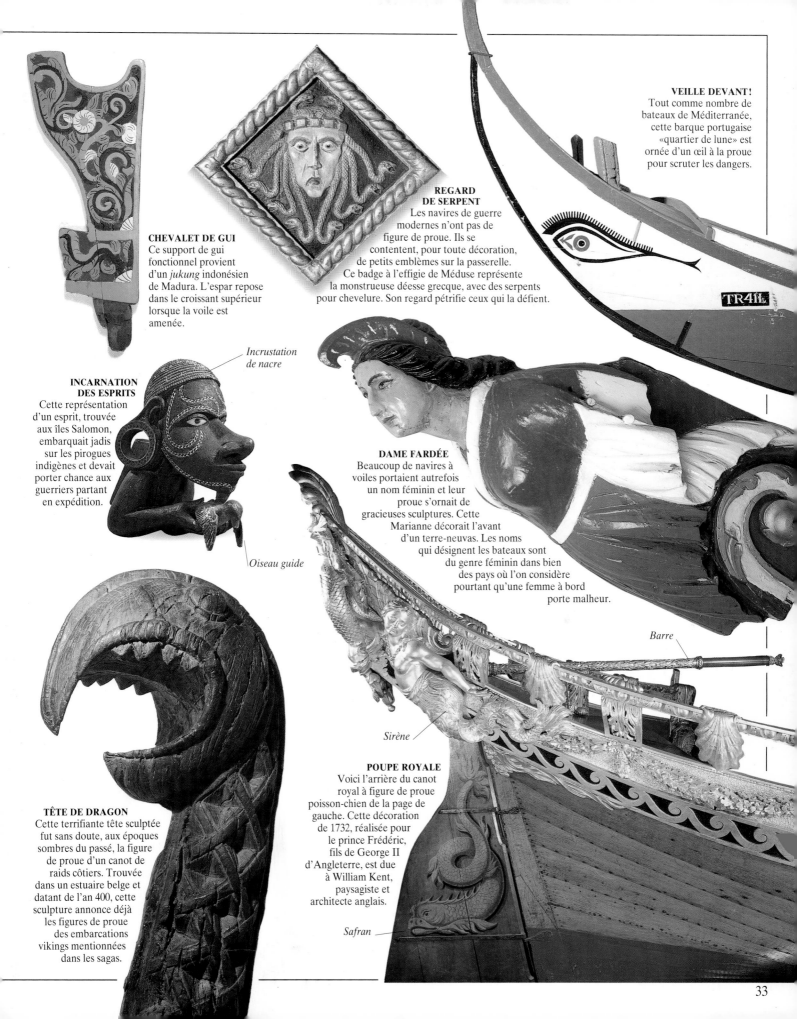

CHEVALET DE GUI
Ce support de gui fonctionnel provient d'un *jukung* indonésien de Madura. L'espar repose dans le croissant supérieur lorsque la voile est amenée.

REGARD DE SERPENT
Les navires de guerre modernes n'ont pas de figure de proue. Ils se contentent, pour toute décoration, de petits emblèmes sur la passerelle. Ce badge à l'effigie de Méduse représente la monstrueuse déesse grecque, avec des serpents pour chevelure. Son regard pétrifie ceux qui la défient.

VEILLE DEVANT!
Tout comme nombre de bateaux de Méditerranée, cette barque portugaise «quartier de lune» est ornée d'un œil à la proue pour scruter les dangers.

TR41L

Incrustation de nacre

INCARNATION DES ESPRITS
Cette représentation d'un esprit, trouvée aux îles Salomon, embarquait jadis sur les pirogues indigènes et devait porter chance aux guerriers partant en expédition.

Oiseau guide

DAME FARDÉE
Beaucoup de navires à voiles portaient autrefois un nom féminin et leur proue s'ornait de gracieuses sculptures. Cette Marianne décorait l'avant d'un terre-neuvas. Les noms qui désignent les bateaux sont du genre féminin dans bien des pays où l'on considère pourtant qu'une femme à bord porte malheur.

Barre

Sirène

TÊTE DE DRAGON
Cette terrifiante tête sculptée fut sans doute, aux époques sombres du passé, la figure de proue d'un canot de raids côtiers. Trouvée dans un estuaire belge et datant de l'an 400, cette sculpture annonce déjà les figures de proue des embarcations vikings mentionnées dans les sagas.

POUPE ROYALE
Voici l'arrière du canot royal à figure de proue poisson-chien de la page de gauche. Cette décoration de 1732, réalisée pour le prince Frédéric, fils de George II d'Angleterre, est due à William Kent, paysagiste et architecte anglais.

Safran

VOGUER EN EAUX TRANQUILLES

Le transport des passagers et des cargaisons par voie d'eau a toujours été meilleur marché que par voie de terre. Tous les pays possèdent des voies navigables naturelles, rivières, lacs, lagunes, souvent raccordées à un réseau de canaux creusés par l'homme. Là circule toute une batellerie de péniches à voiles, à moteur, voire simplement halée ou remorquée. D'autres grands canaux, comme ceux de Suez ou de Panama, relient les mers, abrégeant ainsi les traversées océaniques. À chaque région aussi son type de bateau : les barges de la Tamise, en Angleterre, les bojers du Zuiderzee, aux Pays-Bas, naviguèrent très longtemps ; à Venise, les gondoles fourmillent toujours sur la lagune, véhicules gracieux aussi pittoresques que pratiques pour les liaisons rapides. La voile, économique, ne fut que tardivement remplacée par le moteur.

CONSTRUCTION BANCALE
La gondole est plus large et plus bombée de carène à bâbord qu'à tribord. On compense ainsi l'effet pivotant de la rame d'un seul bord.

Arrière cornu

COCHE D'EAU VÉNITIEN
Cette gondole est parée pour un mariage. Jadis, les familles riches de Venise faisaient assaut d'originalité dans la décoration de leurs gondoles. Las! par décret, l'uniformité du noir fut imposée aux bateaux.

MAISONS SUR L'EAU
A Hong Kong, île surpeuplée, d'innombrables jonques et sampans servent de résidences flottantes.

CANAL GREC
Des canaux d'eau salée, tel le canal de Corinthe en Grèce, montrent bien que la mer s'est adaptée au bateau plus que le bateau à la mer.

L'ANCÊTRE DU CHEVAL-VAPEUR
Les chemins de halage aujourd'hui désertés bordaient autrefois les canaux pour que les chevaux puissent remorquer les péniches. Le cheval était l'animal de trait idéal.

POISSON FRAIS ASSURÉ
Les marchands chinois utilisent ce type de bateaux viviers pour collecter le poisson auprès des pêcheurs du lac Dongting. Ses réserves pleines de poissons vivants, le sampan descend alors le Yang-Tsé Kiang pour vendre son chargement aux escales du fleuve.

Support de taud – toile de protection en cas d'intempéries

Perche de bambou pour la propulsion

Toit à glissière

Voûte arrière ouverte et tableau interne pour la fixation de deux moteurs hors-bord

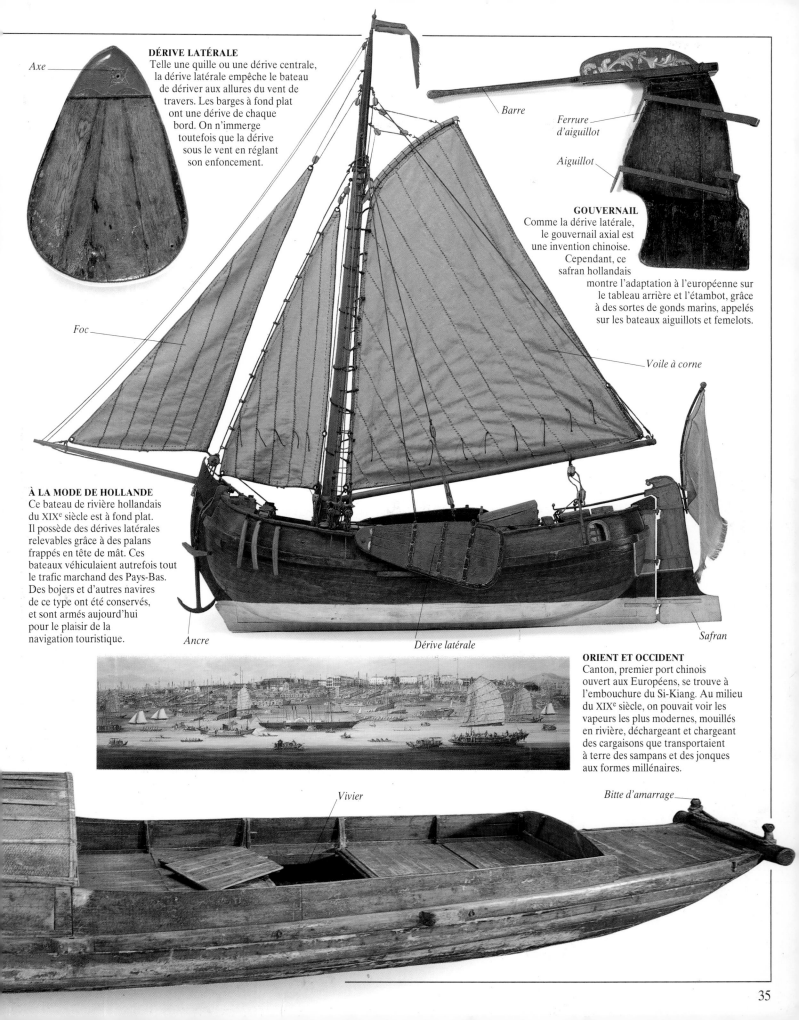

DÉRIVE LATÉRALE
Telle une quille ou une dérive centrale, la dérive latérale empêche le bateau de dériver aux allures du vent de travers. Les barges à fond plat ont une dérive de chaque bord. On n'immerge toutefois que la dérive sous le vent en réglant son enfoncement.

Axe

Foc

À LA MODE DE HOLLANDE
Ce bateau de rivière hollandais du XIXe siècle est à fond plat. Il possède des dérives latérales relevables grâce à des palans frappés en tête de mât. Ces bateaux véhiculaient autrefois tout le trafic marchand des Pays-Bas. Des bojers et d'autres navires de ce type ont été conservés, et sont armés aujourd'hui pour le plaisir de la navigation touristique.

Ancre

Barre

Ferrure d'aiguillot

Aiguillot

GOUVERNAIL
Comme la dérive latérale, le gouvernail axial est une invention chinoise. Cependant, ce safran hollandais montre l'adaptation à l'européenne sur le tableau arrière et l'étambot, grâce à des sortes de gonds marins, appelés sur les bateaux aiguillots et femelots.

Voile à corne

Dérive latérale

Safran

ORIENT ET OCCIDENT
Canton, premier port chinois ouvert aux Européens, se trouve à l'embouchure du Si-Kiang. Au milieu du XIXe siècle, on pouvait voir les vapeurs les plus modernes, mouillés en rivière, déchargeant et chargeant des cargaisons que transportaient à terre des sampans et des jonques aux formes millénaires.

Vivier

Bitte d'amarrage

AUBES À VAPEUR SUR L'OCÉAN

Au cours du XVIIIᵉ siècle, inventeurs et mécaniciens cherchèrent à adapter la machine à vapeur à la propulsion des navires. Le premier propulseur efficace fut la roue à aubes. En tournant, ces roues de moulin poussaient l'eau, et, par réaction, entraînaient le navire vers l'avant. Les bateaux à roues avaient de bonnes qualités manœuvrières dans les ports et convenaient aux eaux peu profondes ; les plus célèbres d'entre eux furent les grands vapeurs du Mississippi. Les roues constituaient cependant un sérieux handicap pour les navires mixtes à voiles, leurs pales faisant frein sur l'eau quand elles ne tournaient pas. Et, pour les vapeurs sans voilure auxiliaire, les roues se révélèrent fragiles par gros temps et délicates pour les accostages.

PASSAGES RESSERRÉS
Les vapeurs à roues sont parfois trop larges sur les cours d'eau secondaires. *La Reine africaine* (1952) en fait l'expérience cinématographique.

CARGOS ET PAQUEBOTS À LA FOIS
Les vapeurs du Mississippi offraient aux passagers des installations dignes des paquebots transatlantiques. Mais c'étaient d'abord des cargos porteurs de marchandises les plus diverses, destinées aux 50 escales desservies entre Memphis et La Nouvelle-Orléans.

TOUTES AUBES ARRIÈRE !
Au lieu de deux roues à aubes latérales, certains bateaux n'en ont qu'une, à l'arrière, comme le *Natchez*, réplique contemporaine du «steamer» du Mississippi. L'année de son lancement, en 1894, le bateau fit 50 voyages, de Vickersbourg à La Nouvelle-Orléans, transportant 56 000 balles de coton.

STEAMER NATCHEZ
PORT OF NEW ORLEANS

*Capot de descente vers les
emménagements intérieurs*

Tambour de roue à aubes

... ET UN CARGO MIXTE
Outre les passagers, le *King Alfred* pouvait charger quelques
marchandises en pontée.

Tambour de roue à aubes

UN TRANSPORT URBAIN...
Le *King Alfred*, en 1905, fut l'un
des 30 vapeurs engagés par la
municipalité de Londres pour alléger
la circulation routière et ferroviaire de
la ville, en ouvrant aux voyageurs la
voie rapide du fleuve. Ce service original
n'eut cependant pas de succès. Ce bateau
termina sa carrière comme croisiériste sur
le Rhin et l'Elbe, en Allemagne, et ne fut
démoli qu'en 1965.

L'ATLANTIQUE À LA VAPEUR
En 1819, le *Savannah* fut le premier vapeur
à traverser l'Atlantique en 21 jours,
de Savannah, aux Etats-Unis, à Liverpool,
en Angleterre, mais les voiles furent
largement utilisées. En 1838,
le *Sirius* fit sa traversée
intégralement à l'aide
de sa machine.

LE RECORDMAN
Une coupe du *Persia* montre
ses immenses roues de 12 m de
diamètre. Construit en 1860,
c'était le navire le plus rapide
de l'Atlantique. Il détint de
nombreux records de vitesse.

Arbre manivelle

Aube de roue

*Banc pour
les voyageurs*

À TOUTE VAPEUR
Cette machine à vapeur
marine de 1840 développe 320
chevaux à deux cylindres. Les
pistons entraînent chacun deux
balanciers qui, eux-mêmes
agissant sur une bielle, attaquent
un arbre manivelle solidaire de
la roue à aubes.

Corps de cylindre

*Prise de
vapeur*

Bielle

PROPULSION MIXTE
Lancé en 1858, le *Great Eastern* était six fois plus
gros qu'aucun navire jamais lancé. Il possédait
à la fois des roues à aubes et une hélice.

L'HÉLICE GAGNE, LA ROUE PERD

En 1845, un duel de machines eut lieu en Manche entre un bateau à roues et un bateau à hélice de puissance identique, chacun tirant de son côté sur une même solide remorque. L'hélice l'emporta, entraînant le navire à roues. À partir de là, les recherches de rendement de ce propulseur furent poussées à l'infini. L'hélice pourtant était connue depuis l'Antiquité et avait été utilisée par les Grecs, qui se servaient du principe de la vis géométrique d'Archimède. Mais son rendement était mauvais, l'eau brassée ne se dégageant pas des filets de la vis. Il fallut attendre le hasard d'une rupture de la spirale pour qu'on ait l'idée de ramener plusieurs morceaux – les pales – presque dans un même plan autour d'un moyeu. L'hélice moderne propulsive était créée.

PALES EXPÉRIMENTALES
L'inventeur suédois John Ericsson (ci-dessus) et le Français Frédéric Sauvage furent les premiers à construire des hélices en forme de tire-bouchon, qui ne donnèrent que de piètres résultats.

PREMIER PROPULSEUR
Cette hélice a le dessin typique de celles que l'on produisait vers 1860. La forme carrée des bouts de pales montra vite la création de remous parasites.

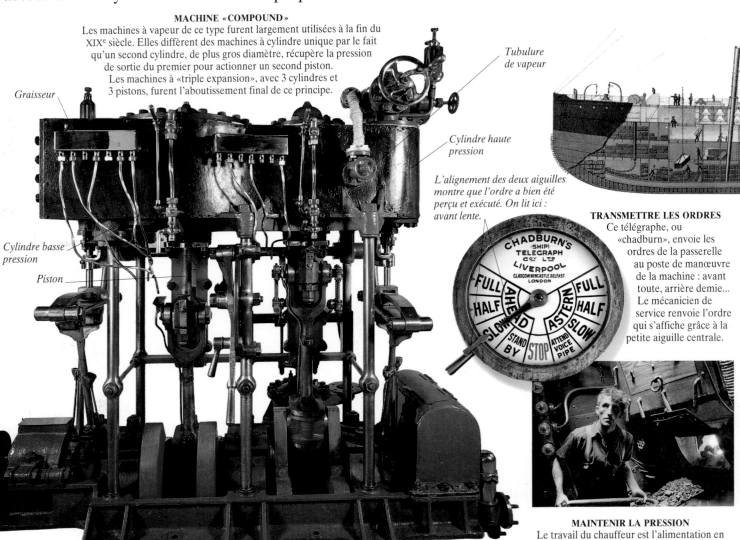

MACHINE «COMPOUND»
Les machines à vapeur de ce type furent largement utilisées à la fin du XIXᵉ siècle. Elles diffèrent des machines à cylindre unique par le fait qu'un second cylindre, de plus gros diamètre, récupère la pression de sortie du premier pour actionner un second piston. Les machines à «triple expansion», avec 3 cylindres et 3 pistons, furent l'aboutissement final de ce principe.

Graisseur

Tubulure de vapeur

Cylindre haute pression

Cylindre basse pression

Piston

L'alignement des deux aiguilles montre que l'ordre a bien été perçu et exécuté. On lit ici : avant lente.

TRANSMETTRE LES ORDRES
Ce télégraphe, ou «chadburn», envoie les ordres de la passerelle au poste de manœuvre de la machine : avant toute, arrière demie... Le mécanicien de service renvoie l'ordre qui s'affiche grâce à la petite aiguille centrale.

CHADBURN'S (SHIP) TELEGRAPH Cᵒ Lᵀᴰ LIVERPOOL GLASGOW NEWCASTLE BELFAST LONDON
FULL AHEAD HALF SLOW STAND BY STOP ATTEND VOICE PIPE FULL ASTERN HALF SLOW

MAINTENIR LA PRESSION
Le travail du chauffeur est l'alimentation en charbon des chaudières et l'entretien des feux, afin de maintenir la pression de vapeur.

PALES
Les pales des hélices
sont en fait des fractions
de surface spiralées,
réparties régulièrement
autour d'un axe.

LA TAILLE ROYALE
Chaque hélice du paquebot anglais
Queen Mary mesurait 5,50 m de
diamètre et pesait 35 tonnes. Coulées
à Londres, ces énormes hélices étaient
ensuite transportées par mer jusqu'aux
chantiers de la Clyde, en Ecosse.

QUARTET PROPULSIF
Comme le *Queen Mary*, le paquebot
Mauretania (pp. 54-55) avait 4 hélices.
Mais ces dernières, réalisées en bronze
manganèse et d'un diamètre à peine
plus faible (5 m), ne pesaient que…
18,50 tonnes chacune.

TOURS-MINUTE
Les hélices du *Mauretania* tournaient à
180 tours/minute. Quatre hélices étaient
l'équipement normal des paquebots. Les plus
grands navires d'aujourd'hui, les pétroliers,
n'ont le plus souvent qu'une seule hélice.

*Machine «compound»,
ou à «triple expansion»*

Soute à charbon

Arbre d'hélice

Hélice

*Chaudière productrice
de vapeur*

Gouvernail

FROIDES LIAISONS
Construit en 1879 pour la ligne d'Australie, l'*Orient* adopta
les installations du *Frigorifique*, le navire réfrigéré du
Français Charles Tellier, pour transporter à 18,5 nœuds
(29 km/h) en particulier des viandes congelées.

**SABRES
SOUS-MARINS**
Cette hélice-sabre
fut mise au point
pour éviter que le
propulseur des bateaux
travaillant par petits
fonds ne se prenne dans
la végétation sous-
marine. Elle sabrait
algues et herbes.

DEUX HÉLICES
Sur le *Teutonic*, les deux hélices étaient
décalées de 1,80 m dans l'axe longitudinal pour
ne pas provoquer l'une sur l'autre des remous
préjudiciables à une bonne propulsion.

Barre/accélérateur

*Etrier de
fixation*

**HÉLICE
PORTATIVE**
Presque tous
les bateaux peuvent
être propulsés par
un moteur hors-
bord, installé sur le
tableau arrière.
Après utilisation, on
peut relever et retirer
du bateau l'ensemble
moteur-hélice en
dévissant l'étrier de fixation.

Hélice

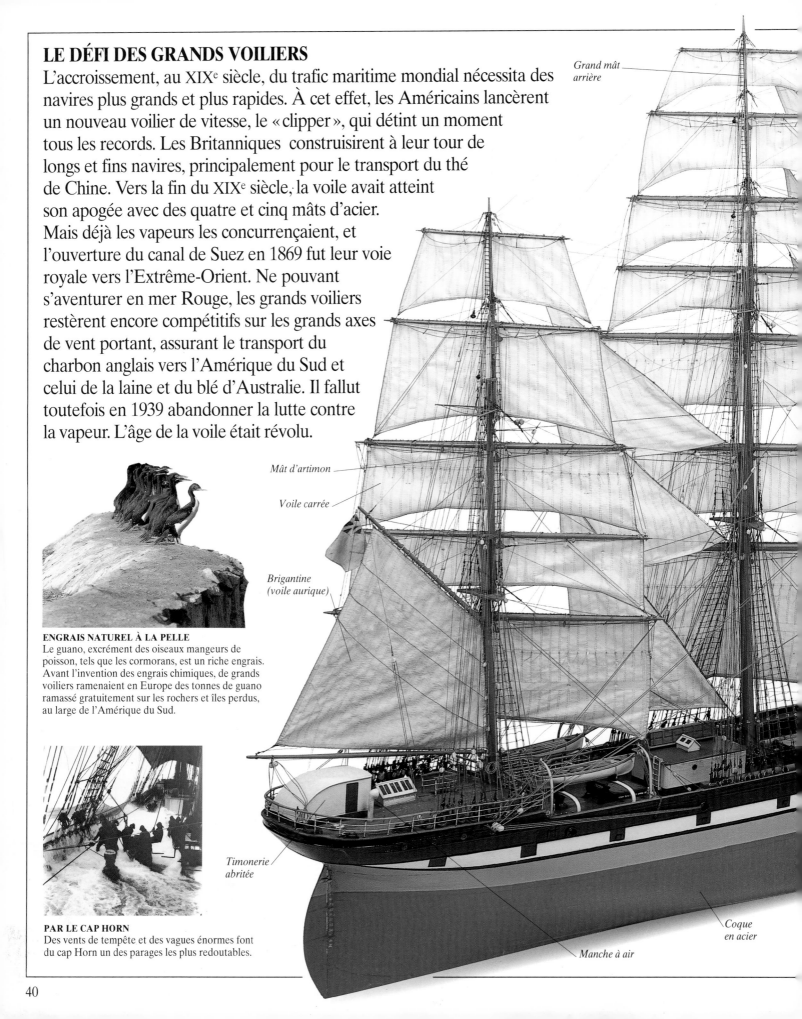

LE DÉFI DES GRANDS VOILIERS

L'accroissement, au XIXe siècle, du trafic maritime mondial nécessita des navires plus grands et plus rapides. À cet effet, les Américains lancèrent un nouveau voilier de vitesse, le « clipper », qui détint un moment tous les records. Les Britanniques construisirent à leur tour de longs et fins navires, principalement pour le transport du thé de Chine. Vers la fin du XIXe siècle, la voile avait atteint son apogée avec des quatre et cinq mâts d'acier. Mais déjà les vapeurs les concurrençaient, et l'ouverture du canal de Suez en 1869 fut leur voie royale vers l'Extrême-Orient. Ne pouvant s'aventurer en mer Rouge, les grands voiliers restèrent encore compétitifs sur les grands axes de vent portant, assurant le transport du charbon anglais vers l'Amérique du Sud et celui de la laine et du blé d'Australie. Il fallut toutefois en 1939 abandonner la lutte contre la vapeur. L'âge de la voile était révolu.

ENGRAIS NATUREL À LA PELLE
Le guano, excrément des oiseaux mangeurs de poisson, tels que les cormorans, est un riche engrais. Avant l'invention des engrais chimiques, de grands voiliers ramenaient en Europe des tonnes de guano ramassé gratuitement sur les rochers et îles perdus, au large de l'Amérique du Sud.

PAR LE CAP HORN
Des vents de tempête et des vagues énormes font du cap Horn un des parages les plus redoutables.

Grand mât arrière

Mât d'artimon

Voile carrée

Brigantine (voile aurique)

Timonerie abritée

Manche à air

Coque en acier

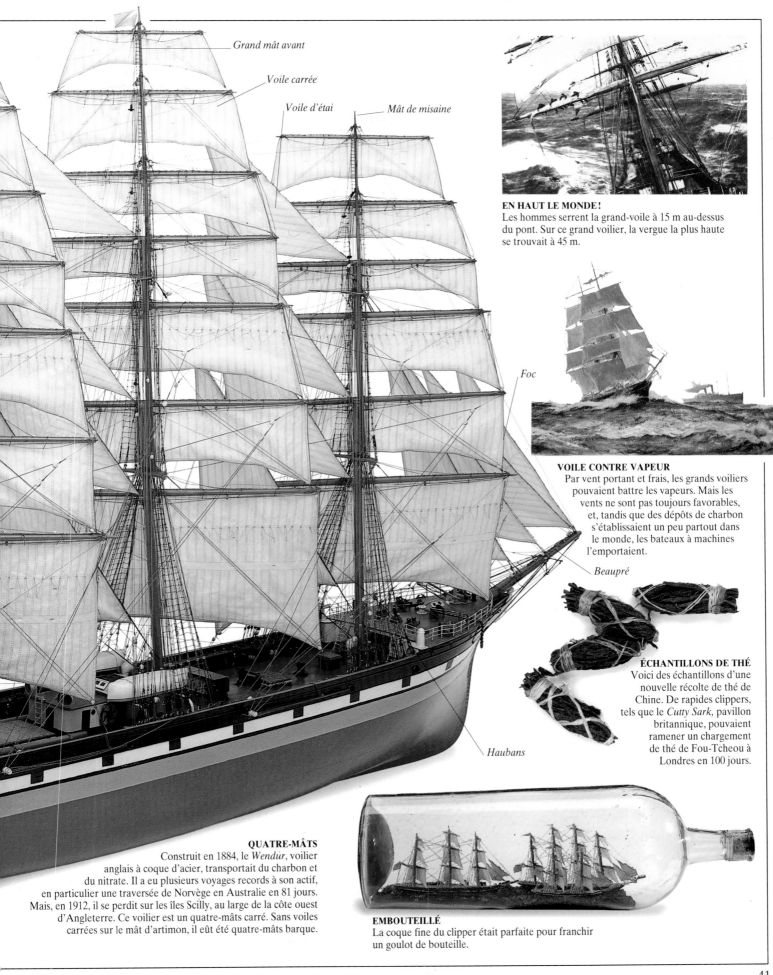

Grand mât avant

Voile carrée

Voile d'étai

Mât de misaine

Foc

Beaupré

Haubans

EN HAUT LE MONDE !
Les hommes serrent la grand-voile à 15 m au-dessus du pont. Sur ce grand voilier, la vergue la plus haute se trouvait à 45 m.

VOILE CONTRE VAPEUR
Par vent portant et frais, les grands voiliers pouvaient battre les vapeurs. Mais les vents ne sont pas toujours favorables, et, tandis que des dépôts de charbon s'établissaient un peu partout dans le monde, les bateaux à machines l'emportaient.

ÉCHANTILLONS DE THÉ
Voici des échantillons d'une nouvelle récolte de thé de Chine. De rapides clippers, tels que le *Cutty Sark*, pavillon britannique, pouvaient ramener un chargement de thé de Fou-Tcheou à Londres en 100 jours.

QUATRE-MÂTS
Construit en 1884, le *Wendur*, voilier anglais à coque d'acier, transportait du charbon et du nitrate. Il a eu plusieurs voyages records à son actif, en particulier une traversée de Norvège en Australie en 81 jours. Mais, en 1912, il se perdit sur les îles Scilly, au large de la côte ouest d'Angleterre. Ce voilier est un quatre-mâts carré. Sans voiles carrées sur le mât d'artimon, il eût été quatre-mâts barque.

EMBOUTEILLÉ
La coque fine du clipper était parfaite pour franchir un goulot de bouteille.

LIGNES ET FILETS, ARMES DES PÊCHES

Qui dit eau dit poisson, et qui dit poisson dit pêcheur. Depuis que l'homme attrape des poissons pour se nourrir, les bateaux et les techniques de pêche n'ont cessé de progresser. Ainsi, les poissons de surface qui se déplacent en bancs se prennent avec des filets. Une technique est de partir de la rive entourer le banc de poissons et de revenir au rivage, d'où il n'y a plus qu'à tirer la boucle. Une autre, pratiquée par les chalutiers, consiste à traîner un filet en poche. On peut aussi, à partir d'un bateau, filer une ligne plombée munie d'un hameçon caché sous un appât pour prendre le poisson de fond. Enfin, c'est avec des nasses que l'on capture les poissons de grand fond.

Flotteur en aluminium

HOMMES ET OISEAUX À NOURRIR
La pêche à l'hameçon et à la ligne montée sur une canne était la méthode la plus courante dans le Pacifique, comme le montre cette gravure d'une pagaie maori de Nouvelle-Zélande.

POISSONS VOLANTS
Ces thons ont été capturés avec de gros hameçons et de fortes lignes. Récemment encore, on les prenait avec des filets. Les protestations contre la capture accidentelle de dauphins ont conduit à imposer un retour à la pêche aux lignes.

Aviron

Ligne de rechange

Voile au tiers ferlée

Baille à appât

Compas de doris

Nable, pour évacuer l'eau

Ligne de pêche parée

Baille à ligne de pêche

Tableau arrière étroit

Nom du bateau mère

BARBULES ROMAINES
Les Romains appâtaient ces hameçons à barbe en baie de Naples il y a 2 000 ans. Les équipements de pêche n'ont presque pas changé.

Hameçon romain à quatre barbes

Grappin de mouillage

Plomb de ligne

BONNE À PRENDRE
La morue peut peser jusqu'à 23 kg. Elle vit en eau profonde mais vient à terre en automne. On la pêche sur les côtes de Norvège, d'Islande, du Groenland, sur le Grand Banc au large de Terre-Neuve et dans la mer de Bering, au nord du Pacifique.

Hameçon romain simple

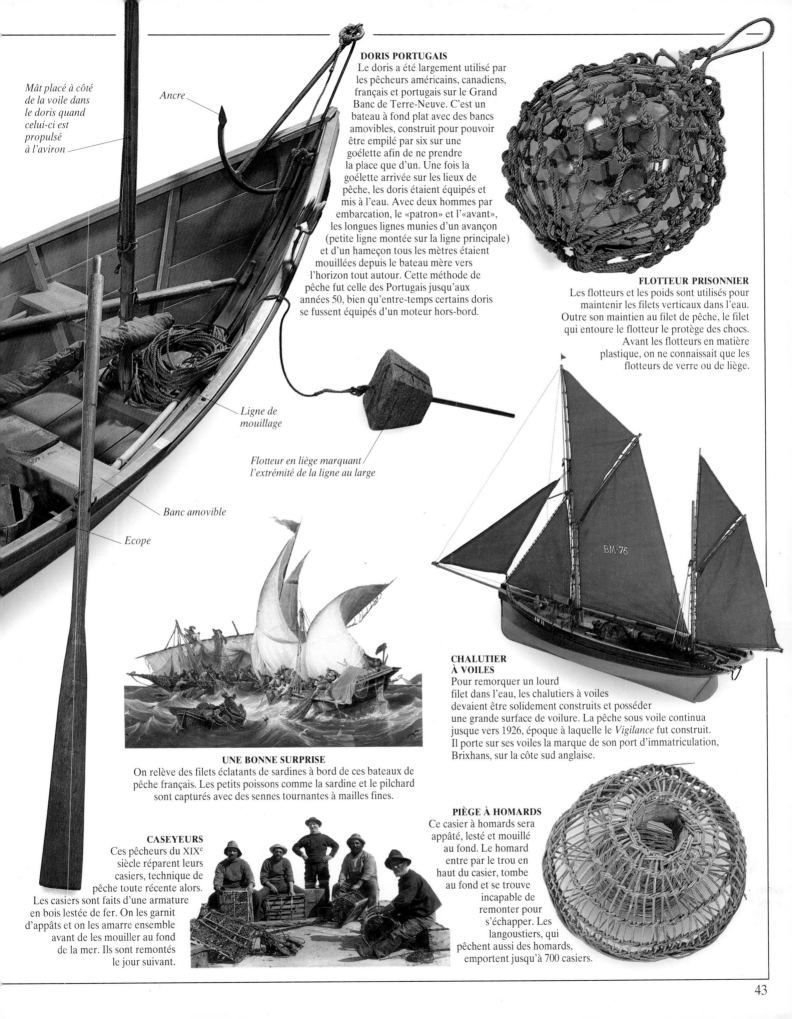

Mât placé à côté de la voile dans le doris quand celui-ci est propulsé à l'aviron

Ancre

DORIS PORTUGAIS

Le doris a été largement utilisé par les pêcheurs américains, canadiens, français et portugais sur le Grand Banc de Terre-Neuve. C'est un bateau à fond plat avec des bancs amovibles, construit pour pouvoir être empilé par six sur une goélette afin de ne prendre la place que d'un. Une fois la goélette arrivée sur les lieux de pêche, les doris étaient équipés et mis à l'eau. Avec deux hommes par embarcation, le «patron» et l'«avant», les longues lignes munies d'un avançon (petite ligne montée sur la ligne principale) et d'un hameçon tous les mètres étaient mouillées depuis le bateau mère vers l'horizon tout autour. Cette méthode de pêche fut celle des Portugais jusqu'aux années 50, bien qu'entre-temps certains doris se fussent équipés d'un moteur hors-bord.

FLOTTEUR PRISONNIER

Les flotteurs et les poids sont utilisés pour maintenir les filets verticaux dans l'eau. Outre son maintien au filet de pêche, le filet qui entoure le flotteur le protège des chocs. Avant les flotteurs en matière plastique, on ne connaissait que les flotteurs de verre ou de liège.

Ligne de mouillage

Flotteur en liège marquant l'extrémité de la ligne au large

Banc amovible

Ecope

UNE BONNE SURPRISE

On relève des filets éclatants de sardines à bord de ces bateaux de pêche français. Les petits poissons comme la sardine et le pilchard sont capturés avec des sennes tournantes à mailles fines.

CHALUTIER À VOILES

Pour remorquer un lourd filet dans l'eau, les chalutiers à voiles devaient être solidement construits et posséder une grande surface de voilure. La pêche sous voile continua jusque vers 1926, époque à laquelle le *Vigilance* fut construit. Il porte sur ses voiles la marque de son port d'immatriculation, Brixhans, sur la côte sud anglaise.

CASEYEURS

Ces pêcheurs du XIXᵉ siècle réparent leurs casiers, technique de pêche toute récente alors. Les casiers sont faits d'une armature en bois lestée de fer. On les garnit d'appâts et on les amarre ensemble avant de les mouiller au fond de la mer. Ils sont remontés le jour suivant.

PIÈGE À HOMARDS

Ce casier à homards sera appâté, lesté et mouillé au fond. Le homard entre par le trou en haut du casier, tombe au fond et se trouve incapable de remonter pour s'échapper. Les langoustiers, qui pêchent aussi des homards, emportent jusqu'à 700 casiers.

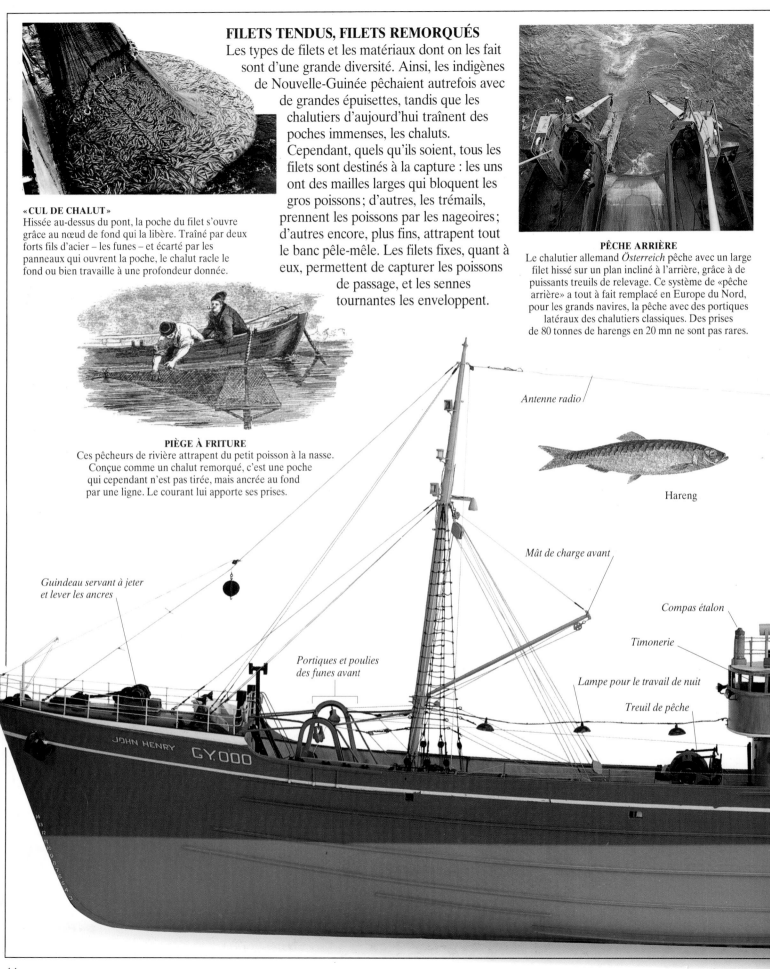

FILETS TENDUS, FILETS REMORQUÉS

Les types de filets et les matériaux dont on les fait sont d'une grande diversité. Ainsi, les indigènes de Nouvelle-Guinée pêchaient autrefois avec de grandes épuisettes, tandis que les chalutiers d'aujourd'hui traînent des poches immenses, les chaluts.
Cependant, quels qu'ils soient, tous les filets sont destinés à la capture : les uns ont des mailles larges qui bloquent les gros poissons ; d'autres, les trémails, prennent les poissons par les nageoires ; d'autres encore, plus fins, attrapent tout le banc pêle-mêle. Les filets fixes, quant à eux, permettent de capturer les poissons de passage, et les sennes tournantes les enveloppent.

«CUL DE CHALUT»
Hissée au-dessus du pont, la poche du filet s'ouvre grâce au nœud de fond qui la libère. Traîné par deux forts fils d'acier – les funes – et écarté par les panneaux qui ouvrent la poche, le chalut racle le fond ou bien travaille à une profondeur donnée.

PÊCHE ARRIÈRE
Le chalutier allemand *Österreich* pêche avec un large filet hissé sur un plan incliné à l'arrière, grâce à de puissants treuils de relevage. Ce système de «pêche arrière» a tout à fait remplacé en Europe du Nord, pour les grands navires, la pêche avec des portiques latéraux des chalutiers classiques. Des prises de 80 tonnes de harengs en 20 mn ne sont pas rares.

PIÈGE À FRITURE
Ces pêcheurs de rivière attrapent du petit poisson à la nasse. Conçue comme un chalut remorqué, c'est une poche qui cependant n'est pas tirée, mais ancrée au fond par une ligne. Le courant lui apporte ses prises.

Antenne radio

Hareng

Mât de charge avant

Guindeau servant à jeter et lever les ancres

Compas étalon

Timonerie

Lampe pour le travail de nuit

Portiques et poulies des funes avant

Treuil de pêche

JOHN HENRY   GY.000

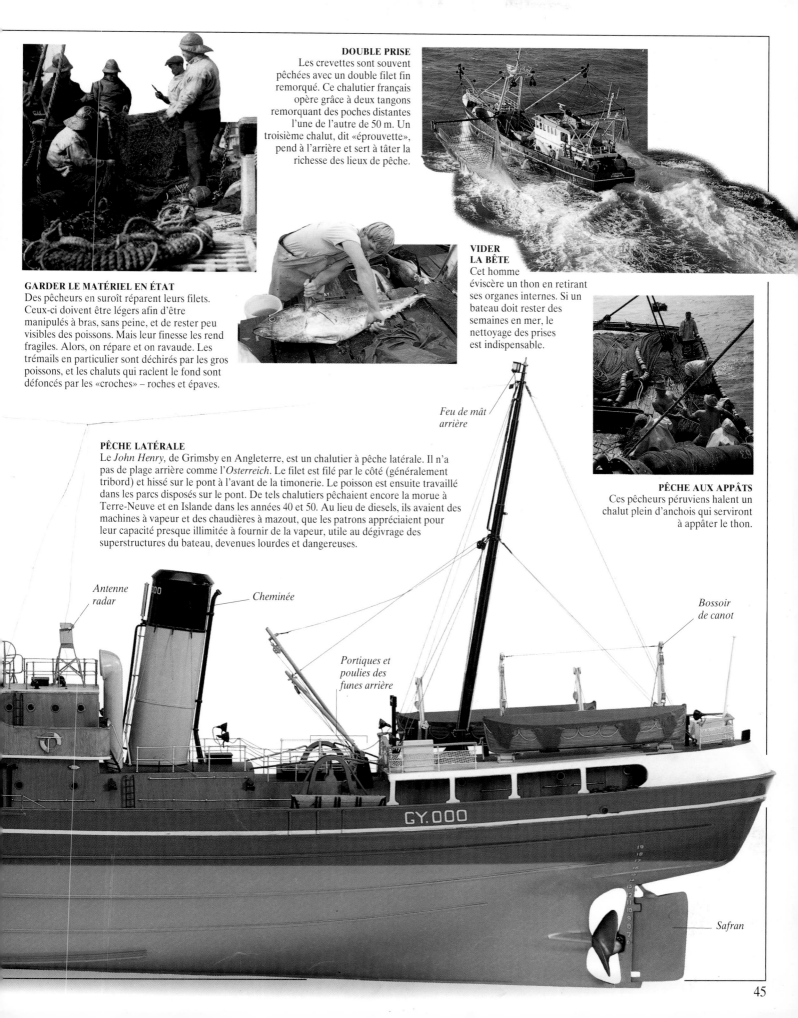

DOUBLE PRISE
Les crevettes sont souvent pêchées avec un double filet fin remorqué. Ce chalutier français opère grâce à deux tangons remorquant des poches distantes l'une de l'autre de 50 m. Un troisième chalut, dit «éprouvette», pend à l'arrière et sert à tâter la richesse des lieux de pêche.

GARDER LE MATÉRIEL EN ÉTAT
Des pêcheurs en suroît réparent leurs filets. Ceux-ci doivent être légers afin d'être manipulés à bras, sans peine, et de rester peu visibles des poissons. Mais leur finesse les rend fragiles. Alors, on répare et on ravaude. Les trémails en particulier sont déchirés par les gros poissons, et les chaluts qui raclent le fond sont défoncés par les «croches» – roches et épaves.

VIDER LA BÊTE
Cet homme éviscère un thon en retirant ses organes internes. Si un bateau doit rester des semaines en mer, le nettoyage des prises est indispensable.

PÊCHE AUX APPÂTS
Ces pêcheurs péruviens halent un chalut plein d'anchois qui serviront à appâter le thon.

PÊCHE LATÉRALE
Le *John Henry,* de Grimsby en Angleterre, est un chalutier à pêche latérale. Il n'a pas de plage arrière comme l'*Osterreich*. Le filet est filé par le côté (généralement tribord) et hissé sur le pont à l'avant de la timonerie. Le poisson est ensuite travaillé dans les parcs disposés sur le pont. De tels chalutiers pêchaient encore la morue à Terre-Neuve et en Islande dans les années 40 et 50. Au lieu de diesels, ils avaient des machines à vapeur et des chaudières à mazout, que les patrons appréciaient pour leur capacité presque illimitée à fournir de la vapeur, utile au dégivrage des superstructures du bateau, devenues lourdes et dangereuses.

Feu de mât arrière

Antenne radar

Cheminée

Portiques et poulies des funes arrière

Bossoir de canot

GY.000

Safran

L'ACIER OUVRE L'ÈRE DES GÉANTS

Des centaines d'ouvriers, de contremaîtres et d'ingénieurs composent l'effectif d'un chantier naval. Tous les corps de métier sont représentés : riveteurs, plombiers, électriciens, peintres, mécaniciens, tuyauteurs, forgerons, charpentiers en bois et en fer, menuisiers. Les premiers navires en fer furent construits à peu près de la même manière que les navires en bois : la structure interne venait en premier et le bordé de coque était placé dessus, les tôles étant assemblées par rivetage comme les bordés par des carvelles. On construisait sur cale en plein air. Depuis 1945, la soudure à l'arc a remplacé le rivetage. Aujourd'hui, les tôles sont prédécoupées par des machines informatisées, et l'on construit souvent la coque en tranches qui sont ensuite assemblées. Le navire est lancé vide, les emménagements et la finition se faisant à flot.

SUR CALE
Construire un navire sur cale veut dire que sa quille repose sur une ligne de tins (pièces de bois), et que pendant le montage sa coque est soutenue par toute une armature latérale. Ici l'*Aquitania* est en construction sur la Clyde, en Ecosse, en 1913.

Grue à mâter

Navire en achèvement

Bassin aux bois, où les pièces de mâture sont maintenues en état d'humidité

Atelier de rivetage

FABRIQUE DE NAVIRES
Le chantier représenté ici est celui de Denny Brother's à Dumbarton, en Ecosse, en 1900. Les Denny furent des pionniers dans la construction en acier, et ils essayaient leurs modèles dans un bassin de carènes.

Atelier des espars

Atelier de tuyautage

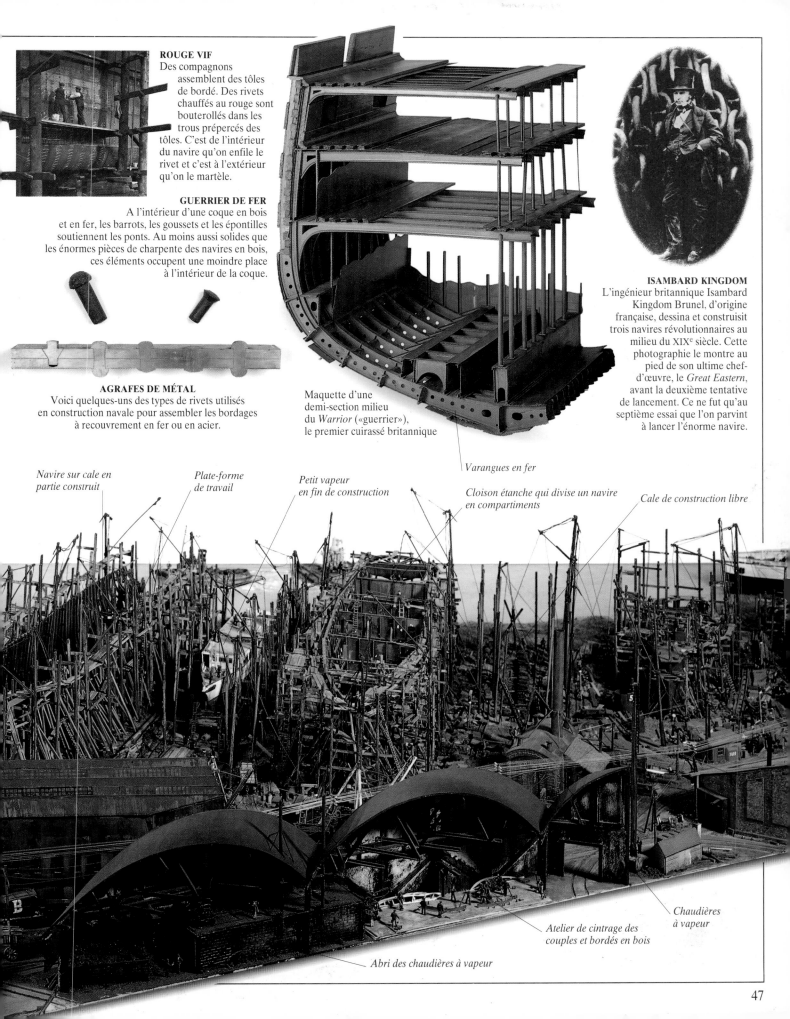

ROUGE VIF
Des compagnons assemblent des tôles de bordé. Des rivets chauffés au rouge sont bouterollés dans les trous prépercés des tôles. C'est de l'intérieur du navire qu'on enfile le rivet et c'est à l'extérieur qu'on le martèle.

GUERRIER DE FER
A l'intérieur d'une coque en bois et en fer, les barrots, les goussets et les épontilles soutiennent les ponts. Au moins aussi solides que les énormes pièces de charpente des navires en bois, ces éléments occupent une moindre place à l'intérieur de la coque.

AGRAFES DE MÉTAL
Voici quelques-uns des types de rivets utilisés en construction navale pour assembler les bordages à recouvrement en fer ou en acier.

Maquette d'une demi-section milieu du *Warrior* («guerrier»), le premier cuirassé britannique

ISAMBARD KINGDOM
L'ingénieur britannique Isambard Kingdom Brunel, d'origine française, dessina et construisit trois navires révolutionnaires au milieu du XIXᵉ siècle. Cette photographie le montre au pied de son ultime chef-d'œuvre, le *Great Eastern*, avant la deuxième tentative de lancement. Ce ne fut qu'au septième essai que l'on parvint à lancer l'énorme navire.

Varangues en fer

Navire sur cale en partie construit

Plate-forme de travail

Petit vapeur en fin de construction

Cloison étanche qui divise un navire en compartiments

Cale de construction libre

Chaudières à vapeur

Atelier de cintrage des couples et bordés en bois

Abri des chaudières à vapeur

CARGOS : UN NAVIRE PAR PRODUIT

L'aviation s'est approprié le trafic maritime des passagers, mais les avions, même gros porteurs, n'ont eu que peu d'effet sur le fret qui reste du domaine des navires de charge. Plus de 95 pour cent des marchandises voyagent en effet par mer. Récemment encore, les cargos étaient des navires à tout transporter. Nombre d'entre eux pratiquaient le «tramping», ou vagabondage, et allaient de port en port, chargeant et déchargeant des cargaisons au hasard des affrètements.

Mais rares sont aujourd'hui ces bateaux vagabonds, car les navires marchands doivent être très spécialisés en cargaisons et en manutention. D'autre part, les coûts du combustible et des salaires conduisent à une recherche rigoureuse de rendement.

NAVIRES «DÉFLAGUÉS»
Les salaires et les taxes en Europe et aux Etats-Unis ont amené des navires à «déflaguer», changer de pavillon (*flag*) pour passer sous pavillons dits de complaisance : Panama (ci-dessus), Liberia...

RETOUR À LA VOILE
Lancé en 1980, le navire japonais *Shin Aitoku Maru* fut le premier pétrolier à être équipé, en plus de ses moteurs, de voiles télécommandées et réglées par informatique. Le gain sur la consommation de combustible est estimé à 10 %.

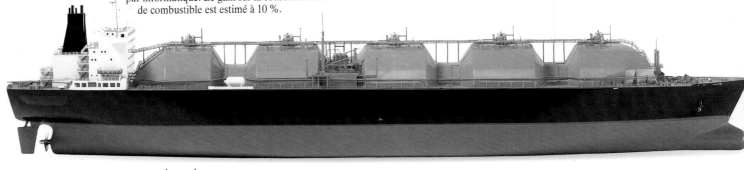

RÉFRIGÉRATION
Le *Norman Lady*, navire norvégien, transporte 90 000 m³ de gaz naturel liquéfié (Gnl) dans des cuves sphériques à -163 °C, température de liquéfaction du gaz. Les parois des cuves, en acier inoxydable, sont faites de tôles profilées spéciales capables de supporter des rétractions et des dilatations considérables dues aux énormes différences de température entre cuves vides et cuves pleines. A vide, le navire prend du lest en eau de mer dans des tanks spéciaux intégrés dans la coque.

La dunette était l'arrière d'un cargo «trois-îles», les autres îles étant le château milieu et le gaillard d'avant.

«TRAMPING» VIA LA MER ROUGE
Avec un projecteur monté à l'avant, pour éclairer de nuit les rives du canal, le *Springwell* s'apprête à passer Suez. Ce «tramp» transportait du charbon de Grande-Bretagne vers les ports de «soute» dispersés dans le monde entier. C'est le type même de navire charbonnier, d'avant 1914, à château milieu et avec quatre cales.

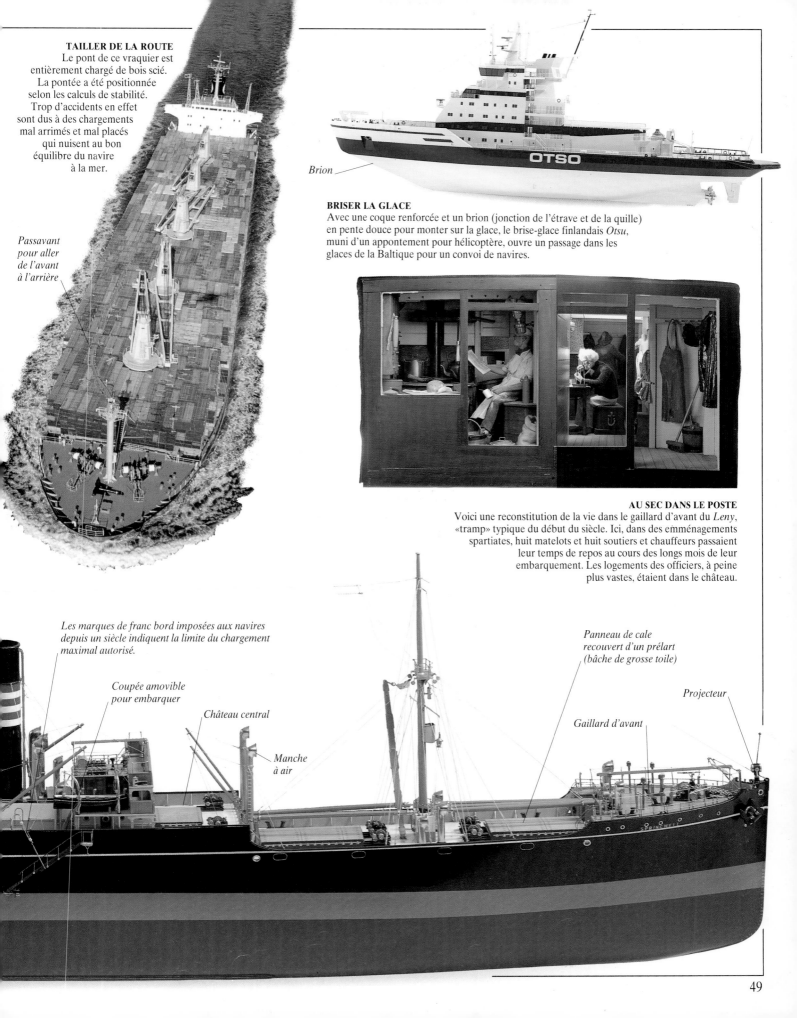

TAILLER DE LA ROUTE
Le pont de ce vraquier est entièrement chargé de bois scié. La pontée a été positionnée selon les calculs de stabilité. Trop d'accidents en effet sont dus à des chargements mal arrimés et mal placés qui nuisent au bon équilibre du navire à la mer.

Passavant pour aller de l'avant à l'arrière

Brion

BRISER LA GLACE
Avec une coque renforcée et un brion (jonction de l'étrave et de la quille) en pente douce pour monter sur la glace, le brise-glace finlandais *Otsu*, muni d'un appontement pour hélicoptère, ouvre un passage dans les glaces de la Baltique pour un convoi de navires.

AU SEC DANS LE POSTE
Voici une reconstitution de la vie dans le gaillard d'avant du *Leny*, «tramp» typique du début du siècle. Ici, dans des emménagements spartiates, huit matelots et huit soutiers et chauffeurs passaient leur temps de repos au cours des longs mois de leur embarquement. Les logements des officiers, à peine plus vastes, étaient dans le château.

Les marques de franc bord imposées aux navires depuis un siècle indiquent la limite du chargement maximal autorisé.

Panneau de cale recouvert d'un prélart (bâche de grosse toile)

Coupée amovible pour embarquer

Château central

Manche à air

Gaillard d'avant

Projecteur

Passerelle

DANS LA RUCHE PORTUAIRE

Avant de pouvoir s'amarrer à quai,
la plupart des bâtiments marchands,
ne manœuvrant que difficilement,
doivent être tirés à l'intérieur du port par
des remorqueurs. Là, on les décharge et on les
charge. L'horizon des ports modernes est dominé par
d'immenses grues qui ressemblent à autant d'insectes
géants. Jusqu'à ces dernières années, les ports
employaient un personnel nombreux pour la
manutention des cargaisons, mais, aujourd'hui,
l'utilisation intensive des conteneurs s'est traduite
par une réduction considérable des dockers
traditionnels. Les navires de gros tonnage,
en particulier les pétroliers, imposent une
restructuration des ports.

POUSSÉ ET TIRÉ
Devant Sainte-Croix,
dans les Caraïbes, ce
supertanker est mis
à poste avec cinq
remorqueurs. La taille
de tels navires nécessite
des ports en eau
profonde. Parfois, faute
de profondeur suffisante,
le chargement de pétrole
se fait au large par «sea
line», une canalisation
immergée ou flottante
arrivant à une bouée.

*Aire d'appontage
d'hélicoptère*

ARRIMAGE
Ces dockers de Port-Soudan, sur la mer Rouge, chargent
des balles de coton dans la cale d'un cargo.

PATATRAS!
Les navires, surtout les plus gros, doivent être
chargés avec précaution pour rester stables. Ce
cargo avait embarqué trop de charbon dans le haut
de ses cales, et le bois en pontée, en glissant à la
mer, a endommagé la mâture. Quatre heures plus
tard, réarrimé, il était à nouveau droit.

RANGEMENT
Voici le port à conteneurs de Hong Kong. La pratique des caisses standard pour tout
emballer a révolutionné la manutention. Des portiques de levage géants débarquent
les conteneurs et les déposent dans le parc.

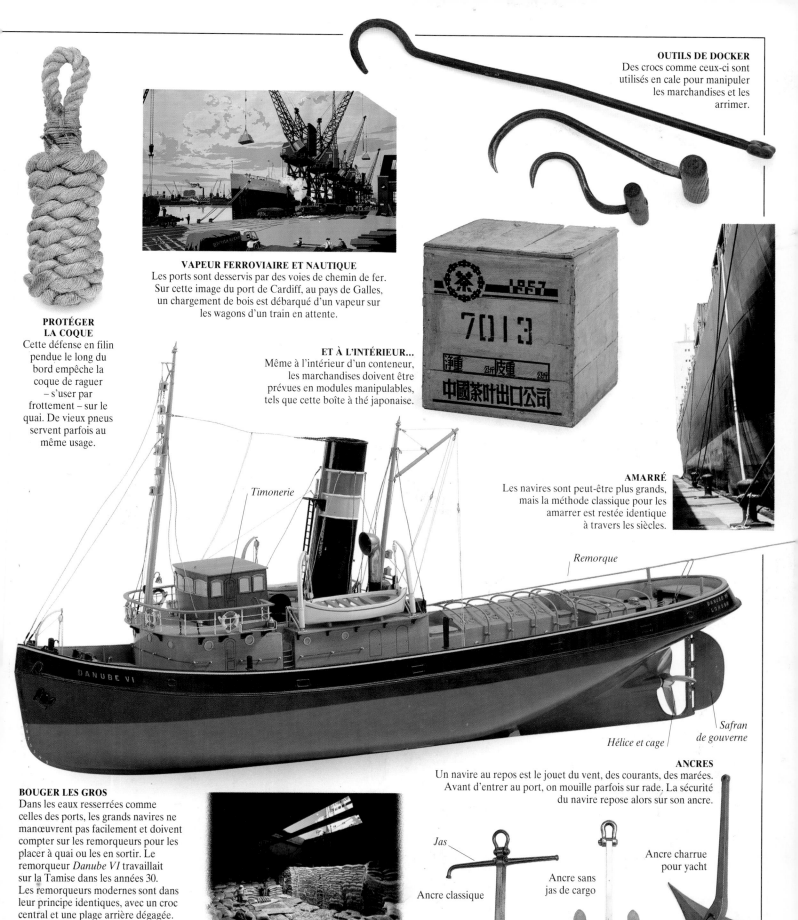

OUTILS DE DOCKER
Des crocs comme ceux-ci sont utilisés en cale pour manipuler les marchandises et les arrimer.

VAPEUR FERROVIAIRE ET NAUTIQUE
Les ports sont desservis par des voies de chemin de fer. Sur cette image du port de Cardiff, au pays de Galles, un chargement de bois est débarqué d'un vapeur sur les wagons d'un train en attente.

ET À L'INTÉRIEUR...
Même à l'intérieur d'un conteneur, les marchandises doivent être prévues en modules manipulables, tels que cette boîte à thé japonaise.

PROTÉGER LA COQUE
Cette défense en filin pendue le long du bord empêche la coque de raguer – s'user par frottement – sur le quai. De vieux pneus servent parfois au même usage.

Timonerie

AMARRÉ
Les navires sont peut-être plus grands, mais la méthode classique pour les amarrer est restée identique à travers les siècles.

Remorque

DANUBE VI

Hélice et cage

Safran de gouverne

BOUGER LES GROS
Dans les eaux resserrées comme celles des ports, les grands navires ne manœuvrent pas facilement et doivent compter sur les remorqueurs pour les placer à quai ou les en sortir. Le remorqueur *Danube VI* travaillait sur la Tamise dans les années 30. Les remorqueurs modernes sont dans leur principe identiques, avec un croc central et une plage arrière dégagée.

ANCRES
Un navire au repos est le jouet du vent, des courants, des marées. Avant d'entrer au port, on mouille parfois sur rade. La sécurité du navire repose alors sur son ancre.

Jas

Ancre classique

Ancre sans jas de cargo

Ancre charrue pour yacht

EN CALE
Des montagnes de sacs de cacao attendent d'être déchargées : un travail de fourmi pour les dockers.

FEU DE BÂBORD
Un feu rouge est placé à bâbord (à gauche en regardant vers l'avant depuis l'arrière) et un feu vert à tribord. La nuit, la vision de ces feux ou d'un de ces feux, ainsi que des feux de mât et de poupe, permet de reconnaître la route suivie par un navire.

SUR LA PASSERELLE, LE CENTRE NERVEUX

La passerelle, ou timonerie, de ce bateau-pompe abrite les instruments de navigation et de conduite du navire, ainsi que les organes de commande et de contrôle des machines et des pompes, le tout dans un espace restreint. Comme toutes les passerelles, celle-ci dispose d'une bonne visibilité. La conduite des voiliers se faisait depuis une dunette surélevée à l'arrière. Les passerelles des navires motorisés, après avoir été longtemps en haut du château central du bâtiment, sont revenues tout à l'arrière, au sommet d'un bloc machine-emménagements.

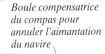

EN AVANT DOUCEMENT!
Le transmetteur d'ordres à la machine, ou télégraphe, envoie depuis la passerelle au mécanicien de quart les instructions de marche avant, marche arrière ou de stop. Ce bateau-pompe a, lui, des commandes directes des moteurs depuis la timonerie, car il n'y a pas de service en continu dans la machine.

Commande automatique des pompes

Débitmètre des pompes

Barre

Boule compensatrice du compas pour annuler l'aimantation du navire

Rose de compas sec de la Marine impériale russe du XIXᵉ siècle

La cuvette et la rose du compas sont à l'intérieur.

Eclairage par lampe à pétrole

INDICATEUR DE ROUTE
Les boussoles à usage terrestre ont une aiguille libre indiquant le nord magnétique par rapport auquel on aligne le nord du cadran. La boussole marine, ou compas, a sa rose solidaire de l'aiguille, si bien que l'horizon est déjà orienté et qu'il s'agit pour le timonier de caler la ligne de foi, ou repère de l'axe du navire sur le cap à suivre.

HABITACLE
L'habitacle est le logement de la boussole, qui est montée dessus à l'intérieur d'une suspension «à la cardan». La rose reste ainsi horizontale, quel que soit le roulis du navire.

Feu de route vert de tribord

Quand le bonnet turc est dans cette position, le safran du gouvernail est dans l'axe, et le navire va droit.

Indicateur d'angle de barre

Tours/ machines

Compas de route

Commande d'allure des moteurs bâbord et tribord. Deux hélices permettent de bien manœuvrer dans les ports.

Radar avec son cache pour utilisation de jour

PAQUEBOTS : MISSION AMBASSADE

Les progrès des machines à vapeur donnèrent des ailes aux paquebots, désormais uniques détenteurs des records de vitesse sur mer. Navires de lignes régulières, ils reliaient l'Europe à l'Amérique à travers l'Atlantique, les ports de la Méditerranée à l'Extrême-Orient par l'océan Indien, et enfin le Japon aux États-Unis via le Pacifique. Les années 1920 et 1930 marquent l'apogée du prestige de ces navires. Les premières classes des paquebots rivalisaient de luxe avec les palaces en terre ferme, et la clientèle appréciait leur confort, les services offerts et la rapidité des traversées. Les plus rapides des paquebots transatlantiques arboraient au grand mât une longue flamme appelée Ruban bleu. Vers 1950, ne pouvant plus soutenir la concurrence avec l'avion, les paquebots furent retirés du service et démolis ou reconvertis.

SALON DE THÉ
En 1930, à bord de l'*Empress of Australia* de la Canadian Pacific : thé et café avec vue sur la mer.

EAU DOUCE SUR EAU SALÉE
L'*Olympic*, frère jumeau du *Titanic*, fut en 1911 le premier paquebot à posséder une piscine en plein air. Les paquebots des années 20 en étaient tous équipés, tant sur le pont qu'à l'intérieur.

CHAMPION GERMANIQUE
Le *Bremen* fut l'un des concurrents les plus acharnés des paquebots de la Cunard Line. Lors de son premier voyage en 1929, il déposséda du Ruban bleu, trophée du record de vitesse sur l'Atlantique Nord, le navire anglais *Mauretania*.

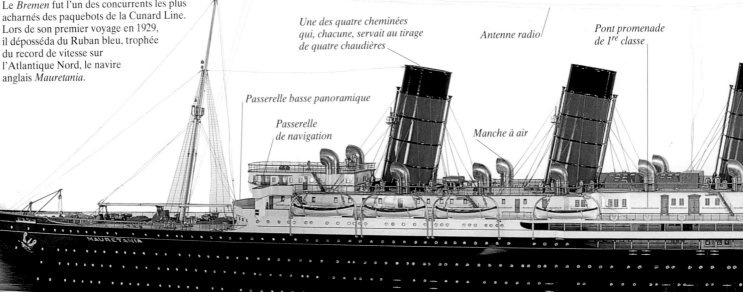

Une des quatre cheminées qui, chacune, servait au tirage de quatre chaudières

Antenne radio

Pont promenade de 1re classe

Passerelle basse panoramique

Passerelle de navigation

Manche à air

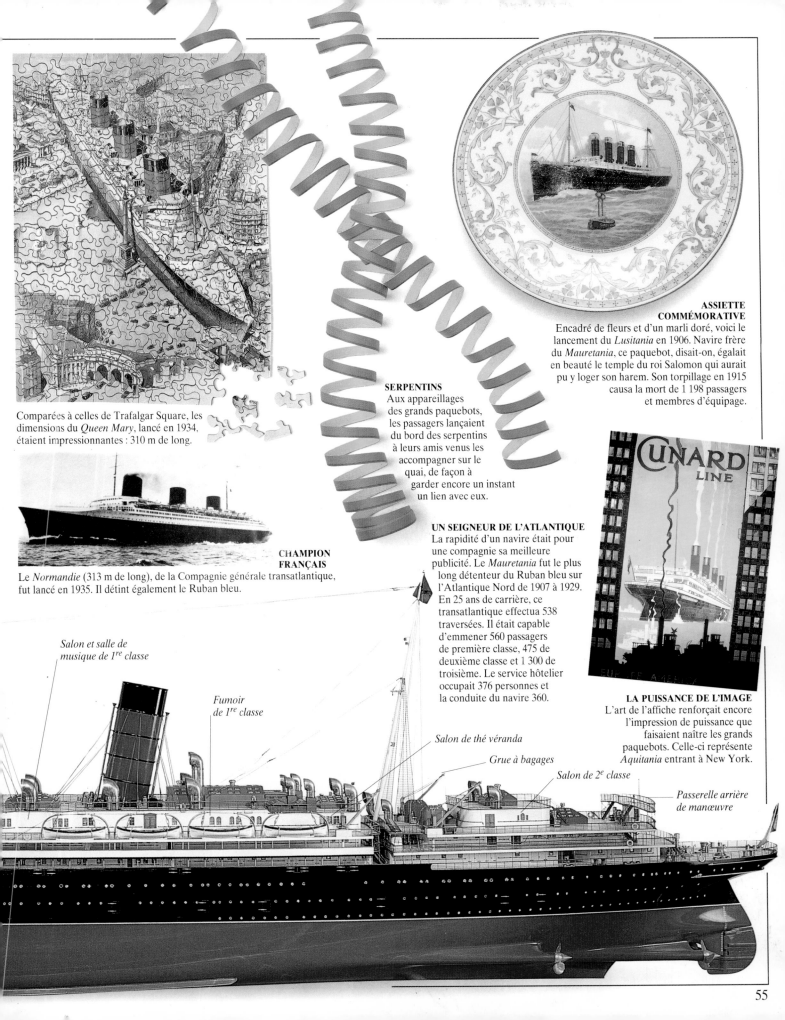

Comparées à celles de Trafalgar Square, les dimensions du *Queen Mary*, lancé en 1934, étaient impressionnantes : 310 m de long.

CHAMPION FRANÇAIS

Le *Normandie* (313 m de long), de la Compagnie générale transatlantique, fut lancé en 1935. Il détint également le Ruban bleu.

SERPENTINS
Aux appareillages des grands paquebots, les passagers lançaient du bord des serpentins à leurs amis venus les accompagner sur le quai, de façon à garder encore un instant un lien avec eux.

ASSIETTE COMMÉMORATIVE
Encadré de fleurs et d'un marli doré, voici le lancement du *Lusitania* en 1906. Navire frère du *Mauretania*, ce paquebot, disait-on, égalait en beauté le temple du roi Salomon qui aurait pu y loger son harem. Son torpillage en 1915 causa la mort de 1 198 passagers et membres d'équipage.

UN SEIGNEUR DE L'ATLANTIQUE
La rapidité d'un navire était pour une compagnie sa meilleure publicité. Le *Mauretania* fut le plus long détenteur du Ruban bleu sur l'Atlantique Nord de 1907 à 1929. En 25 ans de carrière, ce transatlantique effectua 538 traversées. Il était capable d'emmener 560 passagers de première classe, 475 de deuxième classe et 1 300 de troisième. Le service hôtelier occupait 376 personnes et la conduite du navire 360.

LA PUISSANCE DE L'IMAGE
L'art de l'affiche renforçait encore l'impression de puissance que faisaient naître les grands paquebots. Celle-ci représente *Aquitania* entrant à New York.

Salon et salle de musique de 1ʳᵉ classe

Fumoir de 1ʳᵉ classe

Salon de thé véranda

Grue à bagages

Salon de 2ᵉ classe

Passerelle arrière de manœuvre

N.Y.K. LINE

M

DESTINATION

M.S. " MARU"
S.S.

CLASS

BAGGAGE ROOM

PRINTED IN JAPAN

EN ROUTE POUR HAWAII
Voici un reçu de bagages de
la Nippon Yusen Kaisha,
la «Compagnie japonaise
des courriers à
vapeur», créée
en 1885. Elle
transporta
des milliers
d'émigrants
japonais
vers
Hawaii.

O.S.K. Line

OSAKA SHOSEN KAISHA

SÉCURITÉ EN MER
Comme tous les paquebots
modernes, le *Michelangelo*
de l'Italian Line est équipé de
canots de sauvetage pour tous
les passagers et l'équipage, soit
quelque 2 000 personnes. Des
normes de sécurité furent
édictées à la suite du naufrage
du *Titanic*, en particulier des
exercices d'abandon.

GÉANT JAPONAIS
Fondée en 1880, la O.S.K. Line a
été reprise par le groupe japonais
Mitsui. O.S.K. est la seconde
compagnie mondiale après P&O,
la Peninsular & Oriental Line.

**«LES HOMMES
PRÉFÈRENT
LES BLONDES»**
Dans une scène de ce célèbre film américain de 1953, Marilyn
Monroe passe la tête au hublot. Ces curieuses ouvertures
rondes dans la coque des navires affaiblissent moins
la structure que les sabords rectangulaires.

P&O ● MENU

DÎNER À BORD
Voici le recto d'un menu de paquebot
de la P&O sur la ligne d'Extrême-Orient.

VOYAGES DE LUXE
Des cloisons revêtues de bois précieux et des hublots par paire sont parmi les avantages
offerts aux passagers de première classe à bord de l'*Empress of Canada*. Lancé en 1960,
ce paquebot de la Canadian Pacific Line transporte plus de 1000 passagers.

Cafetière

Pot à
eau chaude

Théière

THÉ ET CAFÉ
Ce service à thé et à café était utilisé vers
1960 sur les navires de la ligne d'Australie de l'Orient Line.

SUPERPAQUEBOT DE CROISIÈRE
Parmi les atouts du *Crown Princess*, lancé en 1989, figurent
un atrium de trois étages et un dôme panoramique abritant
un casino, un bar et une piste de danse.

VANITÉS BATAVES
Construit en 1929, le *Statendam* était
le navire amiral de la Holland America Line.
La réputation de propreté de la compagnie lui
avait valu le surnom populaire de «flotte impec».

PREMIÈRE VISION DE L'AMÉRIQUE
Depuis son érection en 1886, la statue
de la Liberté a salué des millions de passagers
arrivant par mer à New York.

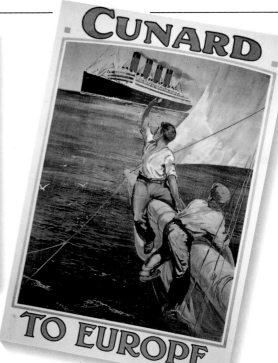

AUTRES HORIZONS

Sur les grands paquebots, les emménagements les
meilleurs marché étaient réservés aux émigrants
qui quittaient leur patrie pour tenter de refaire leur
existence dans les nouveaux mondes. Mais l'émigration
vers l'Amérique du Nord avait commencé bien plus
tôt, au XVIIe siècle. La plupart des colons
avaient quitté l'Europe à la suite de
persécutions religieuses ou politiques.
Ce fut aussi le cas des émigrants
de Russie et des pays de l'Est, alors
que ceux d'Irlande et d'Italie fuyaient
la famine et la misère. On émigre
encore de par le monde mais à un
rythme bien moins important.

**AUJOURD'HUI
CONTRE HIER**
Victoire de la vapeur et de l'hélice :
sur cette affiche, le *Mauretania* croise
fièrement un grand voilier presque
encalminé.

*Croix de Saint-
Georges, pavillon
britannique*

*Hunier et
grand-voile
carrés*

*Voile d'artimon
latine*

PIONNIERS
Ce petit navire, d'à peine 40 m de long, arriva
en Amérique le 11 novembre 1620, ayant quitté
Southampton 67 jours auparavant. C'était le
Mayflower, avec à son bord 102 puritains
anglais, membres d'une secte religieuse
persécutée, qui fondèrent Plymouth,
en Nouvelle-Angleterre.

VAGABONDAGE OCÉANIQUE
Dans le célèbre court métrage *l'Emigrant*,
l'acteur Charlie Chaplin joue le rôle d'un vagabond
embarqué sur un vapeur en route pour l'Amérique.
Chaplin lui-même, fuyant la pauvreté des faubourgs
de Londres, fit carrière et fortune aux Etats-Unis.

BOAT PEOPLE
Les remous de la politique forcent
parfois les populations à affronter de
grands risques pour quitter leur pays.
Sur ce petit bateau, des réfugiés
vietnamiens ont réussi un voyage
hasardeux jusqu'à Hong Kong.

ADIEU PAYS NATAL
Sur les quais de Gênes en 1901, les Italiens qui ont fui
la guerre dans le nord du pays attendent avec leur
bagage le moment d'embarquer pour l'Amérique.

REFOULÉS
Après 1945, de nombreux Juifs quittèrent l'Europe pour
la Palestine. Bondé de malheureux, ce navire, refoulé
par les autorités britanniques, dut retourner en
Allemagne. L'affaire, qui déclencha une vague de
protestations internationales, fut portée à l'écran en
1961, sous le titre d'*Exodus*, le nom du navire.

S.O.S., S.O.S., APPEL À TOUS LES NAVIRES

Trois points, trois traits, trois points : le code morse pour S.O.S., « Save Our Souls » en anglais (Sauvez nos âmes), fut le premier appel radio de détresse en mer. Toutes les nations maritimes ont un service de sauvetage et entretiennent des phares, des bateaux-feux et des bouées pour guider les navires hors des dangers que sont les rochers ou les hauts-fonds. Les bâtiments professionnels sont équipés de radios, de radars, de sondeurs et de feux de détresse, et, depuis le naufrage du « Titanic », ils sont tenus d'avoir à bord un nombre réglementaire de gilets et de canots de sauvetage. Mais la mer est loin d'être vaincue, et des navires sombrent chaque année ou même disparaissent corps et biens. De plus, avec l'augmentation de la taille des navires et le transport de marchandises dangereuses, la gravité des catastrophes nautiques s'accroît.

ROBINSON CRUSOÉ
Son histoire est inspirée par l'aventure réelle de l'Ecossais Alexander Selkirk, abandonné sur une île du Pacifique en 1704.

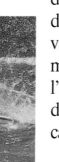

À LA RESCOUSSE
Sur les côtes habitées d'Australie patrouillent des sauveteurs toujours prêts à venir en aide aux nageurs et aux surfeurs en difficulté. Leurs canots à avirons sont spécialement conçus pour chevaucher les déferlantes du rivage.

CORNER À TOUS VENTS
La brume est l'ennemi du marin. Elle occulte les rochers, les phares, les navires. La poignée de cette corne de brume portable sert à «pomper» une série de sons, les «signaux de brume réglementaires», grâce auxquels les navires se repèrent l'un l'autre.

DÉMONS DES MERS
Les sirènes étaient des rencontres de mauvais augure. Un mammifère marin appelé dugong pouvait être une de ces créatures imaginaires.

Feux coston à main

Corne de brume

APPELS SONORES ET VISUELS
La corne de brume, actionnée par une bombe d'air comprimé, produit un son strident d'alerte en cas de danger. Les feux de détresse sont soit des feux coston – sorte de feux de Bengale – soit des fusées qui localisent le bateau en péril.

UN ABANDON MYSTÉRIEUX
En novembre 1872, un mois après son départ de New York, le voilier *Marie Céleste* fut retrouvé errant dans l'Atlantique, sans personne à bord. Sa chaloupe manquait et il semblait que l'équipage avait quitté le navire à la hâte. On fit maintes suppositions : mutinerie, abandon du navire susceptible d'exploser en raison des vapeurs d'alcool de sa cargaison. Le mystère demeura entier.

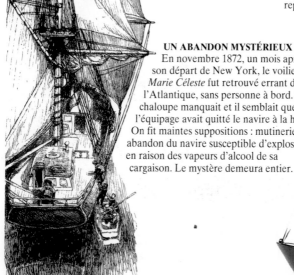

SAUVEZ LES SAUVETEURS
Les sauveteurs risquent aussi leur vie en allant au secours des naufragés, puisque leur mission s'effectue souvent quand la mer est dangereuse.

FEU FLOTTANT
Les bateaux-feux sont mouillés dans des parages dangereux où aucun phare ne peut être construit. Celui-ci se trouve en mer du Nord à 32 km de la côte anglaise. Il a un équipage de sept hommes. Son feu est à 12 m au-dessus de l'eau et porte à 24 milles (38 km). C'est un navire sans moteur qui doit être remorqué et mouillé sur le dangereux banc de sable Kentish Knock.

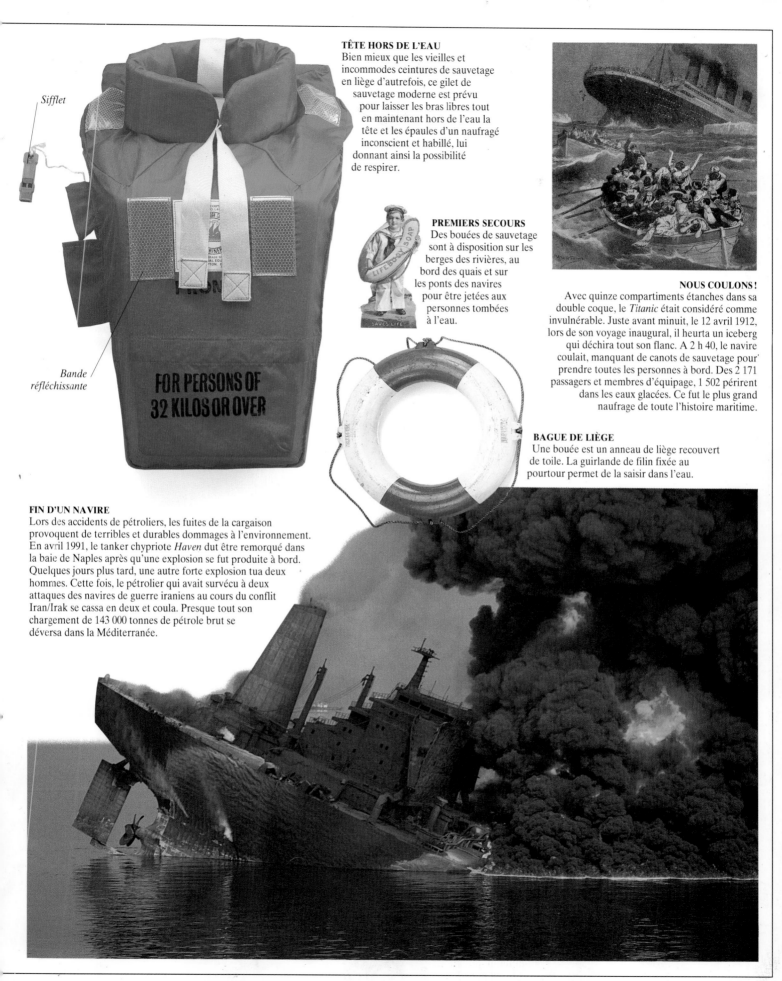

Sifflet

Bande réfléchissante

FOR PERSONS OF
32 KILOS OR OVER

TÊTE HORS DE L'EAU
Bien mieux que les vieilles et incommodes ceintures de sauvetage en liège d'autrefois, ce gilet de sauvetage moderne est prévu pour laisser les bras libres tout en maintenant hors de l'eau la tête et les épaules d'un naufragé inconscient et habillé, lui donnant ainsi la possibilité de respirer.

PREMIERS SECOURS
Des bouées de sauvetage sont à disposition sur les berges des rivières, au bord des quais et sur les ponts des navires pour être jetées aux personnes tombées à l'eau.

NOUS COULONS !
Avec quinze compartiments étanches dans sa double coque, le *Titanic* était considéré comme invulnérable. Juste avant minuit, le 12 avril 1912, lors de son voyage inaugural, il heurta un iceberg qui déchira tout son flanc. A 2 h 40, le navire coulait, manquant de canots de sauvetage pour prendre toutes les personnes à bord. Des 2 171 passagers et membres d'équipage, 1 502 périrent dans les eaux glacées. Ce fut le plus grand naufrage de toute l'histoire maritime.

BAGUE DE LIÈGE
Une bouée est un anneau de liège recouvert de toile. La guirlande de filin fixée au pourtour permet de la saisir dans l'eau.

FIN D'UN NAVIRE
Lors des accidents de pétroliers, les fuites de la cargaison provoquent de terribles et durables dommages à l'environnement. En avril 1991, le tanker chypriote *Haven* dut être remorqué dans la baie de Naples après qu'une explosion se fut produite à bord. Quelques jours plus tard, une autre forte explosion tua deux hommes. Cette fois, le pétrolier qui avait survécu à deux attaques des navires de guerre iraniens au cours du conflit Iran/Irak se cassa en deux et coula. Presque tout son chargement de 143 000 tonnes de pétrole brut se déversa dans la Méditerranée.

VAINQUEUR AILÉ
En 1983, cette quille révolutionnaire permit à *Australia II* de battre les Américains, jusque-là détenteurs exclusifs de la coupe de l'America.

YACHTS DE COURSE : GAGNER À TOUT PRIX

En 1851, l'« America », du New York Yacht Club, battait les quinze meilleurs yachts britanniques dans une course autour de l'île de Wight, sur la côte sud d'Angleterre. Le club victorieux remit alors sa coupe en jeu, offrant aux yachtsmen du monde entier un défi. Ainsi débuta la plus célèbre course du monde, la coupe de l'America. Cependant, des courses à la voile avaient déjà eu lieu deux siècles auparavant, et le premier yacht club fut fondé en 1720, à Cork en Irlande. Dès les débuts, ces courses furent un sport de gens très aisés, et, même aujourd'hui, les plus renommées d'entre elles exigent un respectable budget : construction du bateau, entraînement, course... Une industrie de pointe s'est spécialisée dans la recherche des voiliers toujours plus rapides, qui étudie les matériaux, les lignes de coque, le tracé des voiles. Les performances des grands servent alors aux petits. La production en série rend de bons bateaux relativement accessibles : les uns sont destinés à la course, d'autres à la promenade.

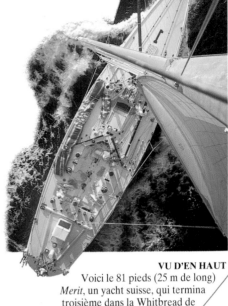

VU D'EN HAUT
Voici le 81 pieds (25 m de long) *Merit*, un yacht suisse, qui termina troisième dans la Whitbread de 1989-1990. Son équipage de 15 hommes boucla le tour du monde en 69 jours.

TROIS COQUES POUR GAGNER
Il y a déjà plusieurs siècles, les insulaires du Pacifique construisaient des multicoques. Ce n'est que depuis les années 60 que les catamarans et les trimarans sont entrés dans les grandes courses internationales. Voici *Elf Aquitaine III*, un trimaran français de grande vitesse, à forte stabilité latérale. Cependant, par mer de l'arrière, le danger de basculement vers l'avant n'est pas exclu.

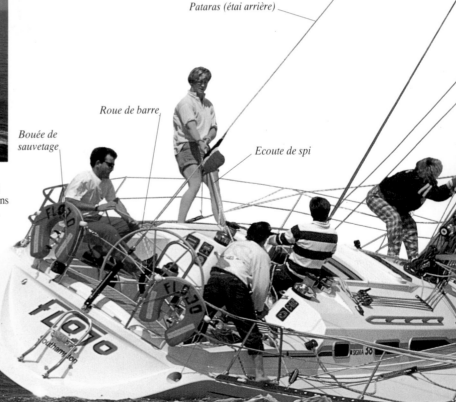

Pataras (étai arrière)

Roue de barre

Bouée de sauvetage

Ecoute de spi

La lettre portée sur
la voile indique la
nationalité du bateau.
Ici, K signifie
Grande-Bretagne.

Latte de bois
(raidisseur de la
chute de la voile)

Voile et foc
en dacron

Mât en alliage léger

Génois

Hauban

Barre
de flèche

Spinnaker en
nylon léger

K-8308

RÉGLAGES

Tiré par son spinnaker,
ce Sigma 38 a une forte gîte
sur tribord. Elle peut être réduite
en modifiant légèrement le cap ou en
plaçant l'équipage au rappel au vent.
Le foc pris en sandwich entre le spi et la
grand-voile, ainsi que cette dernière qui
faseye – bat au vent – ont besoin de réglages.
C'est peu de chose. Les yachts sont très
marins et les chavirages rares. Ils offrent
par leur manœuvre le plaisir des
grandes unités de course.

LES VOILIERS-ÉCOLES OU LES LEÇONS DU VENT

Il est possible d'apprendre la voile en un week-end, mais il faut toute une vie pour perfectionner sa technique. Pour cela, d'innombrables clubs de voile existent, au bord de la mer, sur les rivières, sur les lacs de barrage et les lacs naturels. Sport technique ou distraction, la voile est devenue partout populaire. Qu'il pratique l'exercice au grand air ou qu'il soit émule des courses, un homme de voile doit d'abord être en bonne forme physique. À condition de respecter des règles de sécurité élémentaires et de porter des vêtements adéquats, ce n'est pas un sport dangereux. Les premiers rudiments s'apprennent sur tout type de petit bateau, voire un monoplace comme l'Optimist ; on passe ensuite aux bateaux plus gros et plus rapides. Un petit bateau non ponté est parfois appelé « dinghy », du mot indien signifiant bateau. On parle plus souvent de « dériveur », petite unité possédant une dérive. Aujourd'hui, le plastique moulé est le matériau presque exclusif pour la fabrication des bateaux de plaisance, car il nécessite peu d'entretien, est d'une robustesse à toute épreuve et permet la réalisation des dessins de coques les plus audacieux et les plus performants.

GARE AUX EMBRUNS
Même par temps le plus clément, on peut souffrir du froid et de l'humidité en naviguant. La voile exige une tenue adaptée.

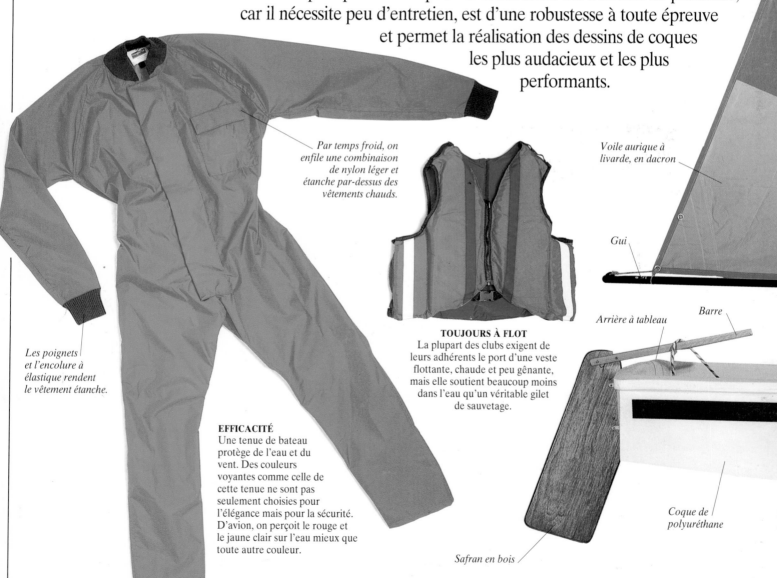

Par temps froid, on enfile une combinaison de nylon léger et étanche par-dessus des vêtements chauds.

Voile aurique à livarde, en dacron

Gui

Les poignets et l'encolure à élastique rendent le vêtement étanche.

Arrière à tableau

Barre

TOUJOURS À FLOT
La plupart des clubs exigent de leurs adhérents le port d'une veste flottante, chaude et peu gênante, mais elle soutient beaucoup moins dans l'eau qu'un véritable gilet de sauvetage.

EFFICACITÉ
Une tenue de bateau protège de l'eau et du vent. Des couleurs voyantes comme celle de cette tenue ne sont pas seulement choisies pour l'élégance mais pour la sécurité. D'avion, on perçoit le rouge et le jaune clair sur l'eau mieux que toute autre couleur.

Coque de polyuréthane

Safran en bois